運を

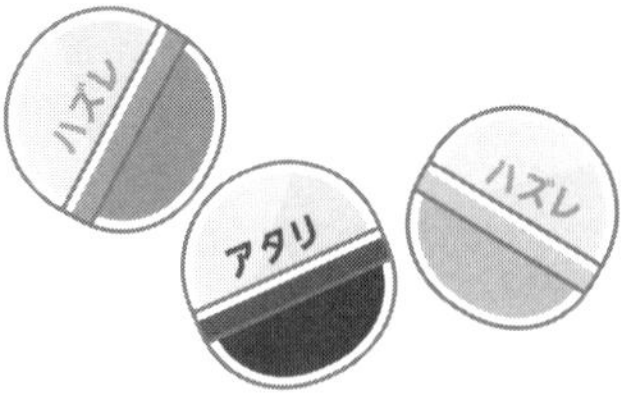

不運がチャンスに変わる逆転思考

哲学する

哲学者
小川仁志

ビジネス社

はじめに——運に左右されずに生きるために

はじめにいっておきますが、人生は不平等です。親、生まれた国、時代、友達、上司……何もかもが運で決まります。そんな運に左右されて、つらい人生を送る。これが現実です。でも、一生そのままでいなければならないわけではありません。少しだけ考え方を変えて、少しだけ行動することで、人生は大きく変わるのです。

そのためにヒントを与えてくれるのが、哲学にほかなりません。なぜなら哲学は私たちの視点を変えてくれるツールだからです。あまりそんなふうには認識されていないのがもったいないところなのですが、実際これまで私は哲学を使って多くの悩みを解決してきました。

学生をはじめ、身近な人たちの悩みはもちろんのこと、テレビや新聞などの媒体でも様々な人たちの悩みを哲学で解決してきた実績があります。でも、これは決して私の業績ということではなくて、哲学そのものの業績だと思うのです。

私がやっているのは哲学的なモノの見方を紹介することだけです。ただ、それだけで人の気持ちはガラッと変わるのです。そうして前向きになれます。哲学は、決して現実を変えることのできるマジックのようなものではありません。

しかし、物事の見方を変えるヒントを提示することで、気持ちを変える手助けはできます。この世のほとんどのことは、実際に変えるのは困難です。お金がないからといって、急にお金を生み出すことはできないでしょう。病気だからといって、急に健康になるのも不可能です。

それでも、前向きに、幸せに生きていくことは可能なのです。気持ちを変えることによって。哲学はそのために存在するのだと思います。

この世の中には、自分で選択できないことのために悩んでいる人たちがたくさんいます。あるいは、制限のある中での選択しかできなかったがために、苦しんでいる人たちがたくさんいます。社会で不公平・不平等な扱いを受けて不満を抱いている人たちや、運のいい他者をうらやみ、悶々とした日々を送っている人たちもいるでしょう。

そんな多くの人たちに、運に左右されることなく前向きに生きてもらうためのヒントを提示するのが、本書の目的です。その目的を実現するために、ここではある仕掛けを用意してみました。それは哲学に加え、子どもの遊び、漫画やアニメを掛け合わせた点です。

目次を見てもらえばおわかりかと思いますが、各章はガチャガチャ、駄菓子屋のくじ、アトラクション、カードゲーム、花いちもんめといった子どものための遊びで分けています。実は私たちは、子どもの頃から割と酷な遊びをしていたのです。ガチャガチャをしてもなかなかお目当てのものが出てこない。駄菓子屋のくじでハズレを引く。乗りたい乗り物に乗れない。カードゲームで弱いカードが回ってくる。花いちもんめで選ばれない。

しかもこれらの遊びには、それがなぜ酷なのか、異なる理由があります。単に運が悪いのか、自分が悪いのか、はたまた自分次第で状況がよくなるのか。本書では、そうした子どもの遊びの特徴を基準にして不運な状況を割り振ってみました。それは、誰もが意外と、昔からそうした人生の不運なゲームにさらされていたことに気づいていただきたいからです。そして、あたかもゲームと同じように、なんとかなるということに気づいていただきたいのです。

これら子どもの遊びについては、それがどういう意味を持つのか、各章の冒頭で少し解説していますので、ご自身の子ども時代を思い出しながら振り返ってみてくださいね。

ちなみに、昔の遊びとはいえ、その要素はすべて現代のオンラインゲームなどに引き継がれています。ガチャガチャの発想がオンラインゲームのガシャポンとして使われているように。つまり、子どもの遊びは今も昔も同じなのです。ここではそれぞれの遊びの本質に気づいていただくために、あえて昔の遊びを切り口にしています。

少し前に「イカゲーム」という韓国ドラマが話題になりましたが、あれもまた昔の子どもの遊びを切り口に、現代の競争社会や運に左右される人生の不条理を描いたものでした。あのドラマが世界的にヒットしたのは、つまりどこの世界でも、人は子どもの頃から不運を乗り越えるための試練を強いられていたということの証でしょう。

さらに本書では、そんな不運を乗り越えるためのイメージを持ってもらうために、もう一つ工夫をしています。それは、各項目ごとにあえて漫画やアニメの登場人物に言及し、彼らの奮闘を具体例として挙げている点です。漫画やアニメは設定が極端なだけに、わかりやすいというメリットがあります。

人生の不運というとどうしても重い話になるのですが、重くなり過ぎないように、ぜひくすっと笑いながら、自分に状況を重ねてみてください。そして不運を乗り越えるためのきっかけにしていただけると幸いです。

なお、誰もが知っているような定番の作品から、少しマニアックな作品までチョイスしていますが、作品自体を知らなくても理解できるようになっていますので、ご安心ください。時に笑いながら、時に感動しながら、運に抗う方法を学んでいただけることを願っています。

それではお待たせしました。最後は昔の紙芝居の口上風に。

寄ってらっしゃい、見てらっしゃい、哲学、子どもの遊び、漫画・アニメを組み合わせた運を乗り越えるための楽しい方法、いよいよ始まるよー！

小川仁志

目次

第2章　駄菓子屋のくじパターンでの不運をひっくり返す

第4章　カードゲームパターンでの不運を逆転する

第5章　花いちもんめパターンでの不運をはねのける

第1章

ガチャガチャパターンでの不運に抗う

一発勝負で運命が決まり交換不可能！ ガチャガチャ運を哲学する

皆さんはガチャガチャにどんな印象を持ちますか？　懐かしい？　カプセル？　ワクワクする？　アタリハズレ？　いずれもその通りですね。私も子どもの頃、キン肉マンの消しゴムを集めていたので、よくガチャガチャをしたものです。正式にはカプセルトイというようですが、ガチャガチャのほうが馴染みがあるかと思います。

お目当てのアイテムが出てきた時は大喜び。そうでない時はがっかりしたのをよく覚えています。今なら何回もやればそのうち当たるなどと考えてしまいますが、子どもの頃はそんなに自由にお金を使えるわけではありません。その意味で一発勝負なのです。

しかもガチャガチャが面白いのは、まったくの運任せだということ。その意味では、子どもたちにとって人生初のギャンブルのような感覚があるのではないでしょうか。無意識かもしれませんが、あの感覚が忘れられない人がギャンブル好きになっていく

とか⁉

それは考え過ぎだとしても、あの感覚が人生の面白さと厳しさを教えてくれるものであることは間違いありません。一度回せばもう答えを待つしかないのです。天が決めた答えを。たとえそれがいい答えであろうと、よくない答えであろうと、もう後戻りはできません。何しろ交換不能ですから。

ガチャガチャとはそんな酷な仕組みなのです。

「ガチャ、ガチャ」というなんの色気もない無機質な音と共に、私たちの運命は決められてしまう。アタリが出れば大喜び、はずれれば悲嘆に暮れる。それが子どもの日常のワンシーンなのです。ハズレを引いた自分の横で、アタリを引いた友達が狂喜乱舞している。まさかそれが人生のメタファーだなどとは、つゆ知らず。親ガチャという言葉が広がるまでは……。

そう、昨今不幸な親の元に生まれ育つことが親ガチャと呼ばれるようになって以来、人生の様々な不幸がガチャガチャにたとえられるようになりました。もっともこの親ガチャは、昔ながらのアナログなガチャガチャではなく、スマホゲームでランダムにアイテムが出てくる「ガシャポン」という仕組みから来ているようです。ただ、ガチャガチャとメカニズムは同じです。

インターネット上でゲームをして遊ぶ子どもたちが、その運任せのガチャガチャの仕組みを親に当てはめたのは、いかにも時代を象徴していて面白いといえます。きっと子どもたちはこう気づいたのでしょう。ゲームも運任せだけど、人生も運任せじゃないかと。自分が不幸なのは、自分のせいじゃなくて親のせいだと。

これはある種の責任転嫁にも聞こえます。なんでもガチャだといってしまえば、自分の責任ではなくなります。いや、もちろんそうなのでしょう。ガチャガチャがそうであるように、私たちの人生は運に翻弄されていますから。親だけじゃなく、国も、時代も、身体・容姿も何もかもが。

でも、だからといってすねているだけでいいのか、人生を諦めてしまっていいのか。決してそうではないはずです。

ガチャガチャという仕組みは一回きりの行為で、それでアタリやハズレが決まります。でも、人生はそれだけでアタリやハズレが決まるわけではありません。両方とも運がかかわってきますが少なくとも人間にはそれに抗おうとする自由意志が存在するのです（**図**）。

つまり、ガチャガチャにはアタリハズレがあって、それは運に委ねられています。そして人生もまた同じように運に委ねられています。だから両者はあたかも同じ性質のものであるかのように思われがちですが、決してそうではないのです。なぜなら、人生の結果は自由意志次第で変わってくるからです。

そのことを証明するために、この第1章では、人生に絡む様々なガチャをテーマにしながら、いかにして不運や不幸に向き合っていけばいいのか考えていきたいと思います。

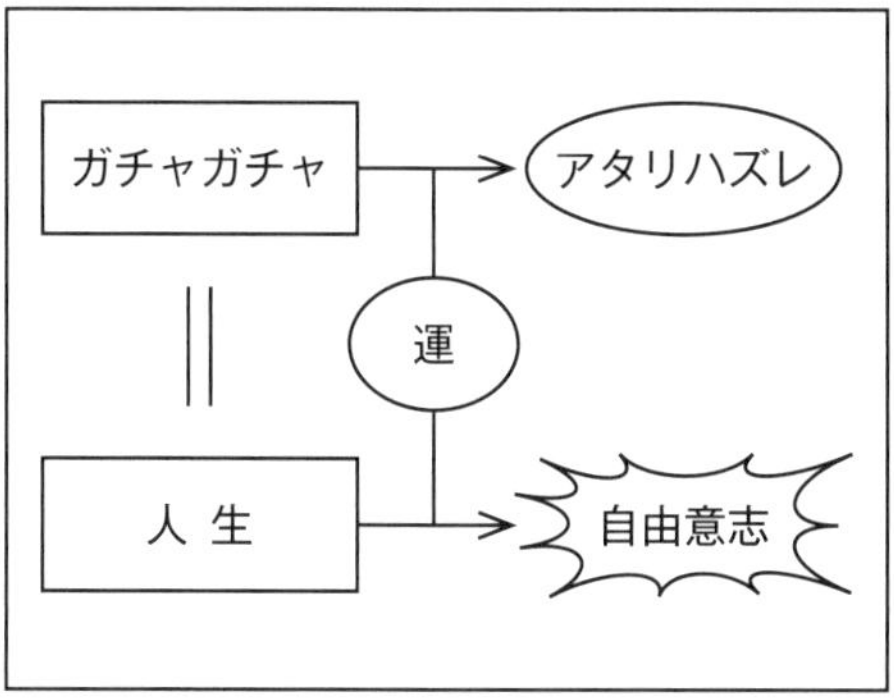

具体的には、親、国、時代、身体・容姿、病気のガチャを取り上げることで、様々な悩みに向き合い、またそれらの悩みを乗り越えるための方法を、哲学者の叡知と共に紹介します。その際、それぞれテーマとなるガチャに悩んだであろうアニメや漫画のキャラクターをある種のモデルとして採り上げ、彼らがどう問題を乗り越えていったのかも紹介していきたいと思います。

親ガチャ──九鬼周造×「天才バカボン」
その運命に置かれた「自分」を愛する

親ガチャという言葉が人口に膾炙して久しいですが、この言葉が出てきた時にはとにかくショックを受けました。たしかに親は選べません。しかも人生で1回きりのマッチングです。

いや、もちろん縁を切ったり、養子になったりということはできます。でも、それはある程度大きくなってからのことですし、何よりそんなことをしても生みの親である事実が変わることはありません。だから厄介なのです。親ガチャとはうまく表現したもので、まさにたった1回きりのガチャガチャをするかのごとく、どの親のもとに生まれるかは運次第だといっていいでしょう。

ガチャガチャをしたことがある人はわかると思いますが、あれは割とドキドキするものです。特に子どもの頃は、少ないお小遣いでしますから、時に祈るような気持ちで臨むことになります。一気にガチャガチャと回すのではなく、ガチャ、ガチャッと慎重に回すのです。

そしてコロッと出てきたカプセルに目を凝らし、持ち上げて眺め、大喜びしたり、がっかりしたりする。それがガチャガチャです。ただこれはおもちゃの話なので、数百円払って出てきたものがいいものであろうとそうでなかろうと、少なくとも人生に大きな影響を与えることではありません。ところが、人生におけるガチャガチャはそういうわけにはいかないのです。とりわけ親が対象の場合は。親をガチャガチャの対象にするなどというのはとんでもないと、怒る人もいるかもしれません。親というのは一般に、自分を産み育ててくれる感謝すべき存在ですから。

にもかかわらず、なぜガチャガチャにたとえるのか？　そこにはこの不条理な運命を半ば受入れ、半ば皮肉りながら生きていかざるを得ない若者たちのなんともいえない気持ちが象徴されているように思えてなりません。

残念ながら、今は親の経済力で人生が決まる世の中です。しかもその幅が大きいので、お金持ちの家に生まれれば幸せなのに対し、貧乏な家に生まれると不幸になることがだいたい運命づけられます。アタリかハズレか。まさにガチャガチャなのです。

では、そんな親ガチャをどう受け止め、運に左右されることなく生きていけばいいのでしょうか？　そこで参考になるのが、同じく親ガチャで苦しんだ日本の哲学者九鬼周造です。九鬼はいい家柄に生まれましたが、父親の部下であった美術家の岡倉天心と、九鬼を妊娠中だった母親とが駆け落ちをしてしまったのです。

そのため九鬼には、2人の父親がいる状況になってしまいました。そんな運命に悩んだ九鬼は、偶然性について深く考えます。そうして書き上げたのが『偶然性の問題』でした。この本の中で彼は、偶然という現象について次のようにいっています。

偶然性とは必然性の否定である。必然とは必ず然か有ることを意味している。すなわち、存在が何らかの意味で自己のうちに根拠を有っていることである。偶然とは偶々然か有るの意で、存在が自己のうちに十分の根拠を有っていないことである。すなわち、否定を含んだ存在、無いことのできる存在である。（『偶然性の問題』岩波文庫、13頁）

つまり偶然性というのは、必然性の対極にある概念であって、必ず起こるかどうかはわからない事態を指すわけです。ここからわかるのは、偶然とは必ず起こるとは限らないということ、もっというと、ないかもしれない存在だということです。でも、たまたま存在した。九鬼はそれがなぜなのか、そして偶然が発生することにどういう意味があるのかを考えようとしたといっていいでしょう。これがまさに親ガチャに関係しています。どの親に当たるかという話ではなく、私たちは皆そもそもこの世に生を受けるかどうかもわからない状況の中で奇跡的に生まれてきたのです。

そこで九鬼は、むしろ無数の可能性の中から自分が生を受けたことに目を向け、今手にしているこの偶然性に運命愛を見出しました。よくぞ自分のもとに来てくれたと。親ガチャという変えることのできない運命に苦しまないためには、もうそれを肯定的に受け止めるよりほかないのです。

世の中にはいろんな親がいます。駆け落ちする親のほか、貧乏な親、暴力をふるう親、子どもの人生を支配する毒親等々。いずれも子どものほうからできることは限られています。もちろん周囲の大人に相談し、実害を避けることは必要でしょう。でも、そうした親を持った事実は変えられません。できるのは、気持ちの持ちようを変えることだけです。

たとえば「天才バカボン」に登場するバカボンのパパはどうでしょう？

普通はあんなお父さんだったら、親ガチャ失敗だと思ってしまうかもしれません。何しろバカボンのパパは、破天荒で、まるで子どものようなふるまいをしています。人をからかったり、いたずらをしたりと。何より常識を欠いており、嘘はもちろん暴力までふるう始末。それでも息子のバカボンはパパが大好きなのです。なぜか？　それは彼が心優しいからでしょう。また自分も人生を楽しめる性格だからかもしれません。実際パパと一緒におかしな行動を取ることもありますから。

たとえばバカボンのパパの次男でありバカボンの弟になるハジメちゃんが生まれてきた時のエピソードは、まさに典型的だと思います。

パパとバカボンは、ハジメちゃんが生まれてくるのが楽しみで仕方なくて、何度も病院に忍び込もうとします。これはもう運命を受け入れて、むしろそんな運命を楽しみにさえしているからではないでしょうか。バカボンの本心はわかりませんが、彼の言動を見ていると、私にはそのように思えてなりません。変わった親は、見方によると面白い存在になりうるということです。

もしかしたら、バカボンはパパの本質を見抜いていたのかもしれません。先ほどのハジメちゃんが誕生する際のエピソードを見てもわかるように、バカボンのパパは決して悪い親ではありません。破天荒なのは間違いありませんが、どう見てもいい父親です。何しろ彼は、ハジメちゃんが生まれてくることを誰よりも喜び、誕生前からハジメちゃんの人生をシミュレーションすべく、幼稚園から大学まで自分の足で駆けずり回り、挙句の果てにはお嫁さんまで決めようとしたのですから。馬鹿げているという点では親ガチャのハズレとなるかもしれませんが、子どもを愛しているという点では、こんな親がいたらどう考えてもアタリではないでしょうか。

また、親ガチャは親に限った話ではありません。変えることのできない血縁という意味では、兄弟や親戚もそうでしょう。先祖もそうかもしれません。たとえば、ヤンキーの兄や姉、穀つぶしの叔父や従兄弟、大罪を犯した先祖のように。バカボンの弟であるまじめで天才のハジメちゃんからすると、変な兄のバカボンは兄弟ガチャのハズレともいえそうです。しかしそれもまた運命なのです。そんな人たちを愛することはたとえできなくても、自分の存在は愛してあげてもいいのではないでしょうか。その運命の中で生まれてきた自分に罪はないのですから。

このように、運命を愛するというよりは、その運命に置かれた自分を愛すると考えれば、乗り越えられるような気がしてなりません。何を隠そうこの私自身が、そうした親や親戚のガチャの中で自分を愛し、境遇をバネにして頑張ってきたからです。もしかしたら哲学者になれたのはそんな境遇のおかげかもしれません。

考えてみれば九鬼もそうです。彼が歴史に名を残すほどの大哲学者になれたのは、親ガチャの運命があったからだといっても過言ではないでしょう。いや、親ガチャの運命を愛し、自分を愛することができたからでしょう。

不思議なことに、自分を愛すると、周囲を愛することもできるようになります。おそらくそうしないと、本当の意味で自分を愛することはできないからだと思います。誰かを憎んでいると、自分の心は常にイライラし、落ち着きません。やりたいことにも集中できず、前向きになれないのです。そのため周囲を愛するようになるわけです。赦《ゆる》すといったほうが正確かもしれません。ひいてはそれが、自分の人生を肯定することにつながるのです。

だから私はすべてのガチャに悩む人にこういいたいのです。親は選べなくても、自分の運命や自分を愛することは選べると。人生は選べないことばかりだと思いがちですが、決してそうではないのです。選べないことに目を向けるのではなく、選べることに目を向ける。それは運に左右されない人生の基本であるように思います。親ガチャ失敗という言い方をしますが、人生に失敗はないのですから。だからたとえどんな人生でも、きっとこういえるはずです。

「これでいいのだ！」

国ガチャ――カミュ×「進撃の巨人」
あがき続けることで生を肯定する

漫画「進撃の巨人」ほど不条理な物語はないように思います。

突如現れた巨人たちが、ただひたすら人間を襲うという悲劇を描いているのですから。しかも巨人は人間を食べるのです。そこがまた恐怖を感じさせるポイントでもあります。

そんな国に生まれなければ、もしかしたら難を逃れることができたかもしれません。でも、主人公の少年エレン・イェーガーをはじめ、城壁に囲まれた国に住む人たちは皆、ひとたび巨人たちが現れ、壁を越えてくれば、もうやられるか戦うかしかないのです。

そうして彼らは戦う道を選びます。でも巨人たちの力は圧倒的に強く、人間は苦戦を強いられるのです。その姿はまさに人間の作った防波堤をはるかに越え、無情にも襲ってくる津波を思わせるものがあります。いや、国境を越えて攻撃をしかけてくるものといえば、あらゆる戦争の手段がそうなのかもしれません。爆撃機、ミサイル、兵士たちのような……。

そういえば、今中東のガザ地区で起きている戦争も、壁を隔てての攻撃の恐怖におびえています。壁というのは国同士を隔てるものであって、安全の象徴であると同時に、恐怖の原因でもあるのです。その意味では、国境という概念自体が、常に恐怖をはらんでいるのかもしれません。思いもよらぬ出来事の存在をほのめかしているのですから。

たまたま敵対する国が隣に存在したとか、自分が生まれた国が紛争に巻き込まれていたというような不運を、私たちはどう受け止めていけばいいのでしょうか。おそらく日本の誰もが、平和な国でよかった。今戦争していなくてよかったと感じていることでしょう。でも、このグローバル社会、いつ状況が変わるかはわかりません。だから考えておかなければならないのです。それでもたくましく生きるための方法を。

そこで参考にしたいのは、第二次世界大戦期にそんな戦争と向き合いながら、それでも不運に屈することなく思想と行動の両方で抵抗し続けたアルベール・カミュの哲学です。

カミュは『ペスト』などの作品で知られる小説家で、ノーベル文学賞も受賞しています。彼が哲学的主題とした不条理は、死すべき運命といった個人的不条理を超えて、集団的なものとして描かれた点に特徴があります。いわば社会全体が、どうすることもできない大きな力に抗おうとあがき続けなければならない状態です。戦争やパンデミックのように。

現に『ペスト』は、直接的にはパンデミックにおける緊急事態宣言を描きつつ、実は第二次世界大戦時のナチスにおびえる人たちのメタファーだったといわれています。日本に住む私たちには、ヨーロッパはあまりに遠い場所なのでピンときませんが、当時ナチスドイツと国境を隔てていた国々は戦々恐々としていたことでしょう。いってみれば国ガチャです。

「進撃の巨人」のエレンも国ガチャのハズレです。しかも彼の場合、国ガチャにはもっと複雑な事情があります。そもそも彼自身が、巨人に変身してしまうという少数民族「ユミルの民」の遺伝子を持っているのです。

だからユミルの民を滅ぼし、この世から巨人をなくそうとする計画の犠牲者になってしまったわけです。さらにエレンに関しては、この壮大な物語の謎に絡む様々な事情があるのですが、もうその境遇は不条理以外の何物でもありません。

では、そんな国ガチャともいうべき状況において、私たちはどう抗っていけばいいのでしょうか。ここでカミュが掲げる概念は、ずばり「反抗」です。彼は『反抗的人間』の中でこういっています。

反抗は、なんらかの形で、またどこかしら、それ自身正しいのだという感じがなくては、行われない。だから、反抗的奴隷は、同時に、諾《ウイ》と、否《ノン》とを言う。彼は境界線を認めると同時に、境界線の範囲内にあると思われ、またそこに残しておきたいと思ういっさいのことを肯定する。（『カミュ全集6　反抗的人間』新潮社、17頁）

ここでカミュが論じているのは、反抗という行為の本質です。

カミュが選んだのは、攻撃や革命ではなく、あくまで反抗でした。だから境界そのものを覆そうとはしないのです。その境界を前提にして、前線で抵抗し続ける。これが反抗という態度にほかなりません。

国というのは、境界によって囲まれています。それは物理的に領土を囲っているだけでなく、一つの人間の集団としてのアイデンティティを明確化するものでもあるのです。政治体制も含め、カミュはその現状を前提に、あがき続けたといっていいでしょう。決して変わることはないにしても、いや変えることができないにしても、あがき続けるということです。

だからカミュは、シーシュポスの神話についても肯定的に論じるのです。

神の怒りをかったシーシュポスは、山頂に大きな岩を運ぶ罰を受けます。ところが、山頂に着く直前に必ず岩はまた転げ落ちるのです。そのためシーシュポスは永遠にその作業を繰り返さなければなりません。

これはどう見ても不幸でつらいことのように思えますが、カミュにとってはそれもまた人生の肯定の仕方だったのです。あがき続けることに意味を見出していたわけです。

私たちは一度どこかの国に生まれると、たとえ亡命したとしても、国籍を変えたとしてもその事実は生涯付きまといます。その意味では、国ガチャのような不運を乗り越える方法として、カミュが説いたように反抗し続ける、あがき続けるという道もまた、一つの救いになるのかもしれません。

日本という国に生まれた私たちもまた、そんな反抗に救いを求めることを余儀なくされているように思えます。地震のプレートの上に位置し、四方を海に囲まれ津波の恐怖と闘いながら、台風の通過に耐え忍ぶ。北朝鮮の核やミサイルの恐怖におびえながら、アメリカの基地として不安な日々を過ごす。少子高齢化の中で多額の長期債務を抱え、経済格差は広がるばかり。

豊かな自然や平和の誓い、そして経済的成功とは裏腹に、国ガチャとしかいいようのない現実が、他方で日本人を苦しめ続けているのです。でも、だからといってこの国を捨てるわけにはいきません。国土はもとより、国際政治や経済状況でさえ、そう簡単に変えることはできないのです。

だから、私たちにできるのは、やはりあがき続けることだけなのです。そうやって幾多の困難を乗り越え、私たちは生きてきました。戦争も、自然災害も、経済危機も乗り越えてきたのです。たとえそれが終わりではないことを誰もがわかっていたとしても。どの国に生まれても、結局生きるとはそういうことなのかもしれません。

時代ガチャ──サンデル×「鬼滅の刃」

価値観を転換して正しさの意味を変える

どこの国に生まれたかもそうですが、どの時代に生まれるかもまた私たちの運命を大きく左右する要素だといえます。同じ国でも、時代が異なればまったく違う状況にあるからです。日本でもそうでしょう。今でこそ豊かで平和ですが、戦争をしている時期もありました。諸外国と異なり革命はありませんでしたが、やはり権力の移行期は混乱していたことでしょう。私もよく戦争を経験した祖父母から、「昔は大変だった」という言葉を聞きました。

政治はいつも人々の運命を翻弄するものです。時代とは年表を見ればわかるように、政治の変遷でもあります。平安時代は貴族が、江戸時代は武士が権力を握っていたのです。そのたび私たちは、身分や生き方を変えなければなりませんでした。

そういえば、大正時代に生まれ、鬼と戦わざるを得ない若者たちを描いた漫画「鬼滅の刃」を読んだ時も、時代ガチャを感じました。親を鬼に殺された主人公竈戸《かまど》炭治郎と妹の禰豆子《ねずこ》らは、鬼に脅かされない平和な時代が来ることを願って戦い続けます。

この作品の舞台となったのは、大正時代の日本です。当時は戦争孤児が多く存在し、鬼退治に駆り出された少年少女たちの多くは、奇しくも戦災孤児などで、その意味では時代ガチャの犠牲者だったわけです。

たとえば鬼殺隊のメンバーの一人栗花落《つゆり》カナヲは、貧しい家に生まれ、両親からひどい虐待を受けて育ちました。そのため、人生の苦しみから逃れようと感情を閉ざして生きてきたのです。そしてついには親に売り飛ばされ、人買いに縄で連れ歩かされているところを鬼殺隊の仲間に保護されたといういきさつがあります。

彼らは皆、程度の違いはあれ、時代の不条理に翻弄されて青春期を犠牲にしてきた若者たちなのです。あたかもそれは、明治大正昭和と、戦争の時代に平和を願って戦い続けてきた私の祖父母世代をほうふつとさせます。もしかしたら鬼との戦いはそんな戦争時代のメタファーなのかもしれません。

政治だけではありません。経済にも振り回されます。現代においては、この要素が大きいかもしれません。政権が代わっても、私たちの身分は同じままですから。

　これに対して経済状況の変化は、現代において私たちの生活、いや人生を大きく左右します。たとえば私が青春期を送ったバブル期から、就職した後またフリーターとして過ごした就職氷河期などは、まったく真逆の状況でした。バブル期は売り手市場で若者はいくらでも行きたいところに就職できましたが、就職氷河期はその名のごとく大卒でも正規の仕事がないような時代です。多くの若者たちが非正規社員として不安定な人生を送ってきたのです。

　そうした格差状況は今も続いているといえます。だからこそ、昨今アメリカの現状を念頭において書かれた、アメリカの哲学者マイケル・サンデルによる『実力も運のうち』という本は、大きな注目を集めたのだと思います。彼はこう指摘します。


　人の生まれながらの器量は運の問題であり、したがって道徳的観点からすれば恣意的なものだと主張するにもかかわらず、彼らは才能を、とりわけ生まれながらの才能を、信じがたいほど真剣に受け止める。（『実力も運のうち　能力主義は正義か？』早川書房、222頁）

つまり、サンデルにいわせると、才能などというものは家庭に恵まれるかどうかの話であって、その才能を発揮できるかどうかはまったくの運に委ねられており、仮に自分が実力だと思っているものでさえ運の賜物に過ぎないというわけです。

なぜなら、いくら才能があっても、裕福な家庭でなければそれを伸ばすことができず、実力のおかげと豪語している人も、多くの運によってそこまでたどり着いたに過ぎないからです。何より彼がやり玉に挙げるのは、学歴です。一般に、いい会社に入るにはいい大学を出ている必要があります。でも、そのためには家庭に余裕があり、いい教育を受ける必要があるというのです。

すでに親ガチャのところで見たように、これはもうすでに運です。なぜなら、子どもは家庭を選べないからです。そこでサンデルは、大学入試も一部くじ引きにしてはどうかという大胆な提案までしています。

さらにはもっと根本的にこのような不合理な状況を生み出さないようにするために、社会全体の経済に関する考え方を変えるべきだともいいます。つまり、私たちはとにかく生産することが正しいと思っているので、必然的に生産至上主義ともいうべき状況に陥ってしまうのです。

そのせいで、生産性が高いほうが正しいという価値観を抱くわけですが、それは必ずしも正義ではないのです。コロナ禍で明らかになったように、いわゆるエッセンシャルワーカーと呼ばれた看護師などの医療従事者や、私たちのオンライン生活を支えた配送センターで働く人たち、あるいは外食産業の調理師たちは、低賃金でも危険を冒して働き続けざるを得ませんでした。

生産性という点では、そうした人たちは一流企業のホワイトカラーより劣るかもしれませんが、社会への貢献という意味ではそれと同等以上の働きをしているのです。だから貢献的正義という新しい指標で、その意義を認めていくべきだというのです。

この発想は、時代に翻弄される不運な人たちを救う慧眼といわざるを得ません。いわばそれは時代の病理を価値観の転換によって解消しようとする試みにほかなりません。その意味で、テクノロジーの発展などによって苦しむ人たちを救うためにも、同様の発想が応用できるのです。

たとえば今私たちはデジタル時代を生きています。そのせいで、一部の人たちがテクノロジーから取り残されるデジタルデバイドという現象が起こっています。コンピューターが使えないと、いい仕事も得られないし、日常生活さえ不便になるという状況です。さらにはコンピューターの導入によって解雇されるという問題も起こっています。

ただこれは今に始まったことではなく、近代の産業革命期に人間の手に代わって機械が導入された時にも、ラッダイト運動と呼ばれる機械うちこわし運動みたいなものが起こりました。そして現代でもＡＩが人間に取って代わるのではないかという不安が広がっています。

これも時代ガチャの一つだと思いますが、新しい発明やテクノロジーの発展によって、苦痛を被る人も出てくるわけです。こういう場合、私たちは時代に合わせるのが正しいと考えがちです。それゆえに、ついていけない人が不利になるのは仕方ないと思ってしまうのです。いわゆる切り捨ての思考です。でも、いつの時代も人間は共存していく必要があるはずです。

そこで先ほどのサンデルではないですが、価値観の転換を行うことで、誰もが生きやすい世の中を作ることこそがテクノロジーの正義だと考え、社会全体で救いの手を差し伸べていくべきではないでしょうか。極端なことをいうと、それができないなら、発展にストップをかけなければならないと思うのです。

結局テクノロジーの発展も生産至上主義と共犯関係にあるのかもしれません。それがいやがうえにも時代を加速させ、今やタイパ、つまりタイムパフォーマンスと呼ばれる過剰に効率性を求める現象さえ生んでしまっています。動画や映画を倍速で見るなどというのは、人間本来の生きるスピードに合っていないように思えてなりません。

人間が自然の一部である以上、自然のリズムに合わせて生きるのが、それこそ自然なのです。倍速で動画を見てみたらわかりますが、人間の声も動きも機械のようになってしまいます。たまたまある映画で時計の針がクローズアップされるシーンがあったのですが、生き急ぐことを強制されているようで、背筋が寒くなりました。

そんなタイパ現象に合わせて生きていかなければならないなんて、今の人はなんて運が悪いのでしょう。したがって、これもまた価値観の転換が求められると思います。いや、タイパ自体が従来の価値観の転換だといえますから、価値観の再転換でしょうか。

時計の針や時代は巻き戻すことができませんが、このタイパの流れはまだ巻き戻すことが可能です。タイパのトレンドなんかには乗っからないという時代遅れな態度が、時代ガチャへの抵抗になるのではないでしょうか。

時代ガチャに抗うためには、戦い続けなければならないのです。先ほど触れた「鬼滅の刃」では、エピローグとして平和になった現代が描かれています。鬼のいない平和な時代。人間がそれを手にすることができたのは、やはり鬼と戦ったからでしょう。今は鬼はいませんが、タイパのように私たちを苦しめるものはたくさんあります。真に平和な時代を求めて、私たちもまた立ち上がる必要があるといえそうです。

身体ガチャ――メルロ＝ポンティ×「どろろ」

心と世界をつなぐものとして身体を捉える

身体ガチャというのは、親ガチャ同様使うことをためらってしまう表現です。でもなんらかの先天的な障がいを持って生まれてきたとしたら、それはやはり運に左右されるという意味で、ほかのあらゆる要素と同じくガチャなのだと思います。

手塚治虫の名作「どろろ」に登場する主人公百鬼丸は、まさにそんな身体ガチャに人生を翻弄されます。彼には、生まれながら身体に48もの欠損があったのです。頭と胴体以外の手足や目、耳などほかのパーツは何もないのです。

実は彼の父親が、権力欲と引き換えに妖怪たちに自分の子どもの身体のパーツを与えたのが理由です。いったいなんという不運でしょうか。その意味でこれは親ガチャでもあるわけですが、結果的な身体に関する不運ということで考えてみたいと思います。

さて、このような状況に生まれて、人はどう不運を乗り越えればいいのか？

もちろんその状況を受け入れて生きていくというのも一つの道でしょう。ただ、百鬼丸には自分の身体のパーツを取り戻す道が残されていました。それは自ら妖怪を退治することでした。一匹退治するごとに、身体のパーツを一つ取り戻すことができるのです。

こうして彼はひょんなことから相棒となるどろろと一緒に、妖怪退治の旅に出ます。面白いのは、そうやって身体を取り戻す旅の中で、百鬼丸が自分を知り、世の中を知っていく部分です。この物語は単に妖怪を退治するという勧善懲悪のような単純なものではなく、人間の欲、憎しみ、世の中の不条理など、様々な深い問題を描いています。

そもそも親が権力のために子どもの身体を売るなどという時点でどうしようもない不条理を描いているわけですが、手塚治虫はそんな父親との確執も見事に描き切っています。それは決して美しい和解でも、単なる復讐でもない、割り切れない感覚です。

この身体をめぐる百鬼丸の物語を見ていると、フランスの哲学者メルロ＝ポンティが論じた身体の意義を改めて思い出します。

むしろ私がさまざまの物の間にいて、物どうしが感覚をそなえた物としての私を

介して交流し合う限りで、私によって内側から体験されるのである。(『見えるものと見えないもの　付・研究ノート』みすず書房、158-159頁)

身体を初めて本格的に哲学的主題として捉えたとされるメルロ゠ポンティ。彼にとって身体とは、単独で存在するものではありません。それは自分と世界とを媒介するものにほかならないのです。正確にいうと、自分の意識と外側の世界をつなぐのが身体だということです。

いわば身体はそれ単独で存在しているわけではなく、感じたものを意識に伝え、その意識と世界をつなぐための重要なインターフェイスの役割を果たしているのです。百鬼丸が身体のパーツを取り戻していくたび、あたかも彼が自分とは何かを知り、そして世の中とは何かを知っていくかのように映ったのは、そんなインターフェイスとしての身体が描かれていたからではないでしょうか。

このことは、身体から何かを学んだ経験を思い起こせばよくわかるはずです。誰しもそういう経験があると思うのです。身体が季節を感じ、それによって春だとか冬の訪れを知る。そうして衣替えをしたり、生活のスタイルを変える。これはまさに自分と世界との相互作用を、身体中心に行っている例だといえるでしょう。

以上のようなメルロ＝ポンティの哲学、そしてそれを体現するような百鬼丸の態度からいえるのは、身体に関する不運は、身体だけで解決する必要はないということです。身体はあくまで心と世界をつなぐインターフェイスであって、それ単体で重要なわけではないのです。むしろ自分の持つ身体をどう使うかこそが重要なのではないでしょうか。どう意識と世界をつなぐかです。

実はメルロ＝ポンティは、この世界は私たちの身体と同じ〈肉〉でできているとも論じています。

言い換えると、この世のすべては〈肉〉という一つのものであり、私たちの身体もその一部に過ぎないのです。そう考えると、何かが欠けているという発想は不要になるでしょう。

「どろろ」では最終的に百鬼丸がすべての身体のパーツを取り戻したかどうかまでは描かれていません。これは私の想像に過ぎませんが、もしかしたら、彼もまた身体の意義を知り、途中で生き方を変えたのかもしれません。

だからたとえ生まれつき障がいがある、あるいは病気や事故で障がいが残ってしまったというような時も、決してその身体の部分だけで考える必要はないと思うのです。

以前私が出ているテレビ番組で、ＡＬＳを発症して身体の自由を失った方が、それでも家族や周囲の方の支えを受けながら、何よりご自身の強い意志、明るい性格を生かしながら、外食を楽しんだり、かつてやっていたスポーツのコーチをしたりして活躍されているのを見ました。

この時教えられたのは、まさに身体をそれだけで捉えるのではなく、自分の心や身体の外部の世界と一体のものとして捉えることの大切さでした。つまり、身体に障がいが生じた場合、狭い意味での身体だけに着目すればガチャのハズレかもしれませんが、心や自分の周囲の人、環境、そうしたすべてを合わせて自分の身体を捉えることができれば、それはもはや障がいでも不自由でもなくなるのです。

少なくともそう思って生きることができれば、この世から身体ガチャという言葉はなくなるのではないでしょうか。身体は交換できなくても、不幸な人生はいくらでも交換できます。それはすべて身体をどう捉えるかにかかっているのです。

病気ガチャ――アラン×「キャプテン翼」
強い意志を持って病に打ち克つ

人間は必ず病気になります。それは避けることができないのです。その意味では、運が悪いというわけではないと思います。誰もがなるからです。

とはいえ、大病を経験するかどうかは人によりますし、またどのタイミングで病気になるかも人によります。

やはり大病を患った人は、どうして自分が、と思うでしょう。大事な時に病気にかかり、何かチャンスを逃したような人は、なぜ今、と思うことでしょう。あまりにも運が悪過ぎると。ただ、多くの病気は、運ではなく自分の中に原因があるのかもしれません。

そう考えるのが、フランスの哲学者アランです。彼は三大幸福論と呼ばれる『幸福論』の著者としてよく知られています。そのアランにいわせると、病気の最大の原因は恐れにほかなりません。

絶えず恐れの状態にあったらどんなことが起きるか想像するがいい。慎重さに対して慎重になるために、最後はこういう考えになるほうがいい。恐怖から生まれる心の動揺はおのずと病気を悪化させることになる。（『アラン 幸福論』岩波文庫、31頁）

恐れが病気を生み、悪化させるのです。受験生が突然腹痛に見舞われるのはその証拠だといいます。

私も経験がありますが、何か不安があると、身体のどこかの調子が悪くなるのです。しかも原因はまったく不明です。人間の身体とはそういうもので、日本でもよく「病は気から」あるいは「ストレスは万病の元」などといいます。

アランはそれを裏付けるかのように、テバイドの隠者と呼ばれる初期キリスト教徒たちのエピソードを紹介しています。彼らは、死を望むことで結果的に長寿の人生を送ることができたというのです。死を望むということは、ほかの何ものをも恐れることはないので、かえって健康でいられるわけです。

したがって、病気を避けるには上機嫌でいればいいとアランは断言します。それを「治療法」と呼ぶのです。これなら医師免許がなくても、自分でいくらでも治療できます。

ほかにもあります。内臓をマッサージすれば健康にいいが、物理的にはそれができないので、喜べばいいというのです。なぜなら、喜びは内臓のマッサージだからだそうです。

すべては想像なのです。病気になるのも恐怖という想像、病気を治すのも喜びという想像。そもそも病気になった時も、痛みや苦しみの一部は想像によるものなのです。だからアランは、悲劇を演じるのではなく、真の叡知を働かせることで現実に向き合ったほうがいいといっています。

いわばそれは冷静になることなのだと思います。病気に対して過剰に反応するのではなく、心を落ち着かせることです。仮に病気になったとしても、自分はなんて運が悪いんだと取り乱してはいけません。それでは病状を悪化させるだけです。むしろどんな病気も、単に魚の目ができた程度に思っておけばいいのです。実はこれはアランの表現です。

運が悪いと思わないようにするには、そんな楽観的な思考法が求められるのでしょう。アランの幸福哲学は不撓不屈の楽観主義とも呼ばれます。単なる楽観主義ではなく不撓不屈というのが特徴です。どんな困難にも屈せずに乗り越えていくという意味です。

そのためにアランは意志を強く持つことを勧めます。意志さえあれば、不運も乗り越えられるというのです。とてもそんなふうには思えないかもしれませんが、考えてみれば、この世はすべて客観と主観から成り立っています。言い換えると、客観的にどうしようもないことは、主観でなんとかすることができるということです。

病気という客観的事実を変えるのは難しくても、その状況を主観的に変える、つまり受け止め方を変えることはできるのです。それが解決になるかと問われれば、私は自信を持ってイエスと答えたいと思います。おそらくアランもそういうつもりで意志による問題の克服を説いたのでしょう。

なぜなら、問題の解決、あるいは問題の克服とは、最終的には自分の納得だからです。逆を考えればわかると思います。

いくら客観的に問題がなくなったとしても、いつまでもこだわる人がいるものです。一度起こった問題は消すことができないと。だから真の問題の解決は、主観によって初めてもたらされるといっても過言ではありません。

病気というどうしようもない事実、不運に対し、もし強い意志を持って立ち向かうことができるとすれば、こんなに勇気づけられることはないでしょう。

時にアランは、医者よりも意志のほうが治療に役立つというようなことも論じています。いや、日本語で言葉遊びをするなら、「医師よりも意志のほうが」と表現したほうがいいでしょうか。

サッカー漫画の金字塔「キャプテン翼」に登場するバイプレーヤー三杉淳をご存じでしょうか。主役の翼以上に優れた技術を持ち、小学生時代からファンクラブが存在するほどの人気ぶりです。でも、彼には心臓病という病がありました。にもかかわらず、常にそれを力に変えてきたのです。医師から10分だけの出場許可を得てプレーした際も、ほかのチームメイトを鼓舞するに十分な素晴らしい活躍を見せます。まさにアランのいう通り、強い意志によって病気を力に変えているのです。

何を隠そう、私も少年時代、「キャプテン翼」の登場人物の中では三杉君が一番好きでした。それは彼のハンデをものともしない堂々とした態度に勇気づけられたからにほかなりません。人間誰しもなんらかの病気を抱えて戦っているものです。とりわけ大人になれば。それでも幸福をつかみ取ろうとするその姿勢に共感するわけです。

病気は必ずしもマイナスではなく、プラスにさえ転じうるものだということを、幼心に三杉君は教えてくれたのかもしれません。

アランもまた、病気を幸福につなげています。すべてが幸福につながると主張している点です。病気であるにもかかわらず、それを意志によって捉え方を変えるだけで、なんと幸福になるというのです。これはもう魔法にでもかかったかのようですが、きっと本当なのだと思います。

病気で苦しむ人が、もし心からその状況を前向きに捉えることができるなら、それは幸福といって差し支えないはずだからです。

何も健康な状態だけが幸福とは限りません。むしろ健康のありがたみを忘れ、日々不満ばかりもらしているほうが不幸とさえいえます。それに比べて、病気になったおかげで生きる喜びを感じ、あらゆることに感謝の念を持って日々を過ごすことができたらどうでしょう？

幸福とは相対的なものなのです。苦痛や痛みが必ずしも不幸とは限らないということです。アランの『幸福論』では、実は様々な問題が扱われています。病気はそのうちの一つに過ぎません。にもかかわらず、この本を読んでいると、まるでアランが医者のように思えてくるから不思議です。身体の病についても、心の病についても、アランはあたかもその治し方を知っているかのように、自信たっぷりにその方法を教えてくれるのです。

最後に、そんなアランによるとっておきの病気治療法を紹介しておきます。それは体操と音楽です。体操をすることで、私たちは筋肉を内側からマッサージすることが可能になります。すると筋肉を規則正しく動かすことができるのです。音楽もただ聴くのではなく、それによって身体を動かし、ダンスする点がいいといいます。やはり適度な運動があらゆる病気を遠ざけるのかもしれません。そういえば、運動は運を動かすと書きますから、悪い運もどこかにやってくれるに違いありません。

第２章

駄菓子屋のくじパターンでの不運をひっくり返す

アタリを引いたつもりがハズレ⁉
駄菓子屋のくじ運を哲学する

誰しも一度くらいは、子どもの頃、駄菓子屋に立ち寄った記憶があるのではないでしょうか？　駄菓子屋とは、安いお菓子がたくさん置いてある子どもを対象としたお店のことです。たいていおばあさんがやっていて、子どもたちの間ではちょっとした共通の有名人になります。誰がつけたか、みんなが知るニックネームを持っていました。かつての駄菓子屋は、主に小中学生が学校帰りや塾帰りに立ち寄って、おやつや簡易なおもちゃを買う場所でした。１９８０年代までの日本では頻繁に見られた光景で、私も塾の帰りに友達とよく行っていた記憶があります。

中でもくじが付いたお菓子が人気で、子どもながらにアタリハズレを楽しんでいました。そう、これもまたガチャガチャと同じでアタリハズレがあるのが特徴です。ただ、ガチャガチャとの違いは、ある程度の選択肢がある中で自分で選んだものに予想外のものが潜んでいるという点です。お菓子のパッケージの中にアタリハズレが記入されているものや、おまけの中身にアタリハズレがあるもの、さらにはもっとストレートにくじになっているものがあったように記憶しています。

とはいえ、相当昔の話で私も記憶が薄れていたので、先日駄菓子屋に行っていくつか買ってみました。占い付きのラムネは、一つひとつのラムネのパッケージの内側に占いの結果が書かれていました。ガムの包み紙にはアタリハズレが書かれていて、当たればお店で何かもらえるようになっています。もっとストレートにお菓子入りのサッカースクラッチや宝くじもありました。なんと当たれば数十円の現金がもらえるのです。そのほか、スーパーボールが当たるくじにも挑戦しました。

周囲の人たちが引いてしまうくらい童心に帰ってしまいました。大人の私でもこんなにワクワクするのですから、子どもたちならなおさらでしょう。

無数の選択肢がある中で、そこから子どもたちが自分で選ぶという体験。そこに大きな意味があるように思います。せいぜいどっちがいいか程度の選択肢しか与えてこられなかった子どもたちが、急に何を選んでもいい状況に直面するのですから。

あたかもそれは、一定の年齢になった時にジャングルに放り出され、自分で狩りをしてくるよう強制されるイニシエーションのごとき強烈な体験だといえます。この場合は、騙し合いが当たり前の資本主義社会というジャングルで買い物をするという体験ですが。したがってこれは、デパートでなんでも買ってあげるといわれるのとは大違いです。そもそもそんな経験をできる裕福な子どもはほんの一部でしょうし、何よりその場合はあくまで親がお金を払います。

しかし駄菓子屋の場合、与えられたお小遣いの範囲内で子どもが自分の裁量でそのお金をどう使うか考えなければなりません。リスクを覚悟で。これは子どもながらに醍醐味でもあり、ショックでもあり、またそれゆえに学ぶところも大きいといえます。

まぁ、社会に出ればそういうことはたくさんあるわけですから、早くに体験しておくのはいいことなのでしょう。もしかしたら、駄菓子屋とは子どもたちにとって社会を知るための入り口だったのかもしれません。

この章では、学校、結婚、住む場所、買い物、身体改造といったテーマを取り上げますが、いずれも世の中に出れば、自分で選ばなければならないものであり、それゆえに「ハズレ」の代償は自分で背負う必要があるのです。したがって、その最初の練習としての駄菓子屋は、まさに教訓を得る場としてうってつけであるような気がします。

自分のお小遣いで、つまり自分の責任で判断し、アタリかハズレかの責任を負う（図）。当たれば自分の手柄、はずれれば自分のリスク。とりわけはずれた場合、そこからど

郵便はがき

料金受取人払郵便

牛込局承認

9026

差出有効期間
2025年 8 月
19日まで
切手はいりません

162-8790

東京都新宿区矢来町114番地
神楽坂高橋ビル5F

株式会社ビジネス社

愛読者係 行

ご住所 〒 TEL:（ ） FAX:（ ）		
フリガナ お名前	年齢	性別 男・女
ご職業	メールアドレスまたはFAX メールまたはFAXによる新刊案内をご希望の方は、ご記入下さい。	
お買い上げ日・書店名 年 月 日 市区 町村 書店		

ご購読ありがとうございました。今後の出版企画の参考に
致したいと存じますので、ぜひご意見をお聞かせください。

書籍名

お買い求めの動機

1　書店で見て　　2　新聞広告（紙名　　　　　　　　　　）

3　書評・新刊紹介（掲載紙名　　　　　　　　　　　　　　）

4　知人・同僚のすすめ　　5　上司、先生のすすめ　　6　その他

本書の装幀（カバー），デザインなどに関するご感想

1　洒落ていた　　2　めだっていた　　3　タイトルがよい

4　まあまあ　　5　よくない　　6　その他(　　　　　　　　　　　　　　)

本書の定価についてご意見をお聞かせください

1　高い　　2　安い　　3　手ごろ　　4　その他(　　　　　　　　　　　　　)

本書についてご意見をお聞かせください

どんな出版をご希望ですか（著者、テーマなど）

う立ち直るかが試練となります。ハズレを受け入れるか、当たった友達と交換するか、お金をかけて再チャレンジするか……。

対応策はほかにもたくさんあります。そこでどこまでこだわるかは、今後ハズレという人生の不運にどう向き合っていくかの試金石だといっても過言ではありません。

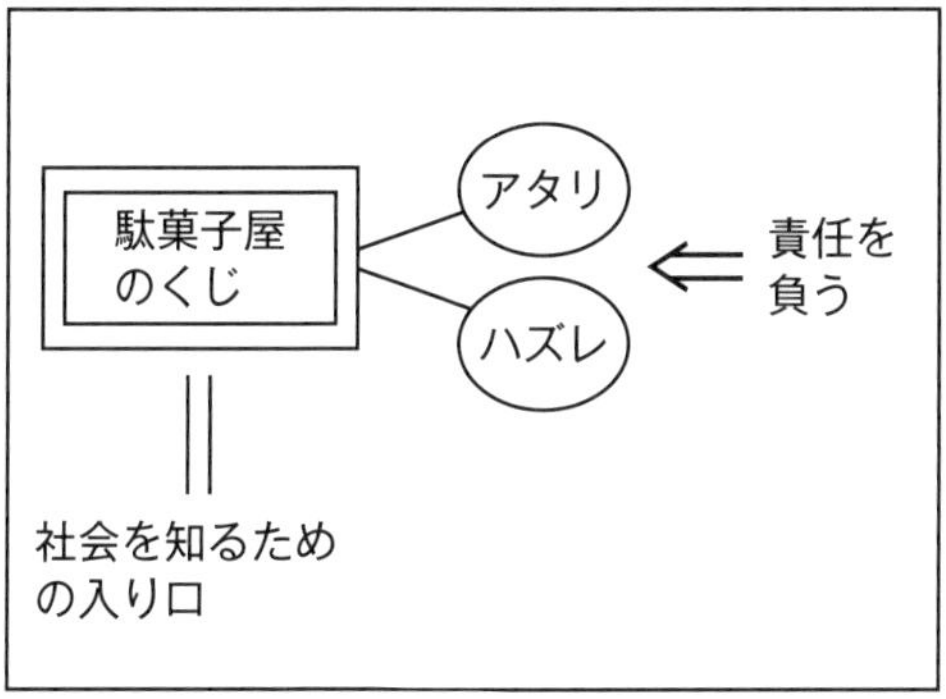

たかだか駄菓子だとか数百円だとかいわないでくださいね。子どもにとってはそれは大人の大金に値するのですから。そんな子どもたちの成長物語をじっと見守ってくれていた店主のおばあさんは、さながら人生の教師だといっていいでしょう。きっと子どもたちの将来を心配しながらも、温かいまなざしを送り続けていたに違いありません。

しかし、大人の社会にはもうそんなおばあさんはいません。あとは自分で切り抜けていくしかないのです。さて、駄菓子屋で学んだ私たちは、その温かいまなざしにどう応えるべきか、ある答えをこの章でお示ししたいと思います。

学校ではずれた――サルトル×「花より男子」

選択できることを喜び、自分の選択を信じる

人生の不運は、一方的に与えられるものばかりではありません。そもそも人生は選べるものだといっても過言ではないのです。少なくとも人間にとってはそうでしょう。人間以外のものに人生という表現を当てはめるのはおかしいかもしれませんが、動物でもモノでも、それぞれ誕生してから役目を終えるまでの時間があるものです。

そんな中で、人間だけがその都度自分の人生を選びながら生きているのです。フランスの哲学者サルトルは、そんな人間の生き方を「実存は本質に先立つ」と表現しました。これは実存主義と呼ばれる哲学で、運命を乗り越えていく力強い考え方だといえます。

実存というのは私たちの存在、つまり今生きているこの状態を指します。それに対

して本質というのは、予め決められた変えることのできない運命を指します。実存が本質に先立つということは、人間の場合、運命を変えていけるということです。だからサルトルは人間を定義することはできないというのです。

実存主義の考える人間が定義不可能であるのは、人間は最初は何ものでもないからである。人間はあとになってはじめて人間になるのであり、人間はみずからがつくったところのものになるのである。（『実存主義とは何か』人文書院、42頁）

つまり人間は自分で自分を作っていくものなので、本質などないということなのでしょう。逆にほかのモノは、作られた時から変わることはありません。サルトルはペーパーナイフを使って説明していますが、たしかにペーパーナイフは作られた時から役目を終えるまで、ずっとペーパーナイフです。

いや、これはペーパーナイフというほかに使い道がないものだけではなく、なんでもそうなのです。コップとかだと最初は飲み物を飲むために使われますが、ペン立てや植木鉢として使われたりすることもあるでしょう。でもそれは、あくまで人間がそうしているだけであって、コップのほうでそんな選択をしているわけではないのです。

ただ、だからといって人間が幸せかというと、そう簡単ではありません。サルトルが自由の刑と表現しているように、選択が無数にあり、かつその選択が自分に委ねられているというのは、苦痛でもあるからです。

間違った選択をしたら、苦しむことになります。私たちはそれを子どもの頃から経験を通じて学んでいきます。

やりたいといって始めたことが意外とつらかったとか、いい人だと思って付き合ったのに気が合わなかったとか。そういう不運の連続の中で、だんだん選択することに慎重になっていくのです。

それでも何も選ばないことには前に進めません。だから選び続けるのです。そして失敗するたび、苦しみます。いい学校だと思って行ったら、先生と合わなくて、おまけに友達もできなかったとか。一般に高校くらいからは自分で行きたいところを選びます。大学ならもう完全にそうでしょう。

でも、学校選びは難しいものです。実際に通ってみないとわかりませんから。パンフレットだけ見ても、またオープンキャンパスの様子だけ見ても実態はわかりません。だから思わぬ不運が潜んでいることが往々にしてあるのです。

まるで「花より男子《だんご》」の牧野つくしが、お金持ちや権力者の子弟が集まる英徳学園に入学し、玉の輿どころか壮絶ないじめに遭ってしまった時のように。もちろんつくしの場合は、本人の意志というよりは、母親の見栄が大きかったといえます。それでも最後は自分で選んだのですから、まったくのガチャではないはずです。

たとえるならこれは、まったく自分で選ぶことのできないガチャガチャに対し、むしろ駄菓子屋での不運に似ているといえます。

駄菓子屋では、自分でお菓子を選びます。アタリくじの入っているものや、自分の欲しいおまけがついているものを選ぶこともよくあります。ところが、アタリの確率はそう高くはないのです。そうしてハズレを引いてがっかりする。この場合、自分が選んでいるのですが、運の悪いことにハズレを引いてしまったということです。

人生にはこうしたことがたくさんあるように思います。そういうつもりではなかったのに、自分で選んだ結果、不運になってしまったということが。

そんな時、どうやって不運を乗り越えていけばいいのか？

今度は親や時代ではなく、自分を責めるしかないのかどうか。実は先ほどのサルトルの実存主義の話には続きがあります。それはアンガージュマンと呼ばれる考え方です。

アンガージュマンとは積極的かかわりを意味するような言葉です。サルトルは、自分で運命を変えていくと豪語したものの、自分もまた戦争に従軍させられるなど、どうすることもできない状況を味わってきました。そこで、実存主義とは変えるだけでなく、変えようとあがき続けることにも意味があると気づいたのです。実際彼は、反戦運動をはじめ多くの社会問題に積極的にかかわり、世の中を変えようとあがき続けました。

そうやって自分で選び続ける姿勢を変えなければ、いつかは道が開けてくるということなのでしょう。選ぶことをやめてしまったら、もうそれ以上はありませんから。よく考えてみれば、今ある不運がもし自分の選択によって生じたものなのであれば、その不運を取り除くのも、また新しい運を招き入れるのも、同じく自分の選択でできるはずなのです。なぜなら、サルトルのいうように、人間の人生とは選択によって成り立っているのですから。

「花より男子」のつくしも、学校を牛耳るF４《エフフォー》に屈することなく戦っていったおかげで、その中のリーダー格でもある道明寺司と恋に落ちるに至ります。そうして幸せな学校生活をつかみ取ったのです。今はリスキリングの時代ですから、学校を選ぶというのはいくつになっても大きな問題です。たとえばＭＢＡ一つとっても、海外に行くか、国内でやるか、はたまたオンラインにするかという選択や、そもそもどの学校にするかといった選択があります。私も社会人になってから大学院で学び直しをしたのですが、当時は相当悩みました。結果的には、選んだ道を最大限に生かすことができたわけですが。

結局、選択できることを幸せに思い、その力を信じ続けることこそが、運に左右されずに生きるコツになるのでしょう。その意味で、人間とは賢い人ホモ・サピエンスであるだけでなく、選択する人ホモ・エーレクティオなのかもしれません。

そういう目で学校という仕組みを見直してみると、あたかもそれは選択することを学ぶ場であるかのように思えてきます。生きること自体が選択であり、生き方を学ぶ場が学校だからです。

たとえば、友達をどう選ぶかとか、高校生や大学生ならどの科目を選択するかとか、何よりテストはいつも選択の連続です。どの答えを選ぶべきか、考えさせられます。いや、日々の学びもそうなのでしょう。常にどちらが正しいのか、選ぶことを余儀なくされていますから。

もちろんこれはどこかに正解があるという前提なのですが、人生においては正解がないことも多々あります。世の中が複雑になった現代は特にそうです。そのせいで、学校を出てもなかなか自分の人生を選択できずに躊躇《ちゅうちょ》している人が増えているのではないでしょうか。

だとするならば、学校においても、必ずしも正解があることを前提とすることなく、それでも何かを選択させるトレーニングをしておいたほうが有効だといえそうです。正解などないかもしれないけれど、とにかく選ぶ。それこそがホモ・エーレクティオにとっての生きる術なのかもしれません。

結婚ではずれた——ショーペンハウアー×「わたしの幸せな結婚」
諦めが幸福を引き寄せる

結婚ほど人生を左右するものはないでしょう。人は一人で生きていくわけではありません。そもそも生まれた時から家族がいて、その中で育っていくのです。

そして結婚して今度は新しい家族と共に生きる。いや、もちろん生涯独身という人もいますが、その場合はもともとの家族との関係が延長するだけのことです。

でも、結婚すると家族の更新が行われ、その家族によって自分の人生がまったく変わってしまうのです。子どもがいるいないにかかわらず。とりわけ日本の場合、結婚は家同士の関係ですから、あたかも自分を取り巻く環境がガラッと変わってしまうイメージです。

たとえば、家族に恵まれなかった女性が、ある日嫁ぐことになったとしましょう。

それまで暮らしてきた家を出て、その相手の家に入るのです。これはもう生きる世界が変わるのと同じ状況だといっても過言ではありません。

昔ほどではありませんが、やはり誰と生きるかは重要なのです。相手がひどい男性なら人生はひどいものになりますし、逆に素敵な人なら人生は素晴らしいものになります。

アニメ「わたしの幸せな結婚」は、そんなジェットコースターのような人生のアップダウンを見せてくれる作品です。

名家の令嬢として生まれながら、母親の死によって継母とその娘にひどい仕打ちを受け、挙句の果てに家を追い出された主人公斎森美世は、冷酷無比として知られる久堂清霞《きよか》のもとに婚約者として送り出されてしまいます。ここまではまさに結婚でハズレくじを引いてしまったともいうべき状況です。

しかも美世には思いを寄せていた男性がいたのですが、意地の悪い義理の妹に取られてしまうのです。そうして周囲も本人も、またつらい日常が待っていると諦めていたのですが、意外にも久堂は心優しい人物で、美世のことを想い、彼女を心から愛してくれます。美世も最初は信じられませんでしたが、彼のおかげで幸せな結婚生活を送ることができるのです。

ここからわかるのは、一見ハズレを引いたともいえる不幸を乗り越えるための方法として、清い心を持つということがありうるということです。美世はそうして多くを求めなかったからこそ、些細なことを幸せに感じ、おそらくはその謙虚さのおかげで、久堂に見初められ、幸せを手にすることができたのですから。

近代ドイツの哲学者ショーペンハウアーは、まさにそんな内面の美ともいうべきものがもたらす幸福について論じています。

幸福がわれわれのあり方すなわち個性によってはなはだしく左右されることが明らかである。ところが大抵われわれの運命すなわちわれわれの有するものあるいはわれわれの印象の与え方ばかりを計算に入れている。けれども運命は好転するということもある。そのうえ、内面的な富をもっていれば、運命に対してさほど大きな要求はしないものである。（『幸福について――人生論』新潮文庫、15－16頁）

幸福を得られるかどうかは、その人の個性によるところが大きいというのです。そして内面的な富、つまり内面の美があれば、幸運を手にすることができるということだと思います。なぜなら過大な要求をすることがないからです。

美世が内面の美を有しており、謙虚であったように。ある意味でこれは欲を捨てようとする諦めでもあるといえます。ショーペンハウアーの哲学の根底にあるのは、そうした諦めによる幸福にほかなりません。

ショーペンハウアーは、人間の意志が際限なく欲望を求めることを前提に、その苦しみから逃れるためには諦めるしかないと説いています。まるで仏教の諦念のようですが、実際彼は仏教に影響を受けているのです。

仏教のように諦めによって心の安寧を得るという方法は、運に左右される人生から逃れる術としても有効なのかもしれません。考えてみれば、人生のハズレから常に逃れることなどできるはずもありません。むしろアタリばかり引く人生など奇跡に近いでしょう。

だとするならば、私たちに一番簡単にできる対処法は、諦めることだといえそうです。ハズレで当たり前と。面白いことに、そう思えると、急にアタリとの距離が近くなるような気がしてきます。

奇しくも今、ハズレで当たり前といいましたが、「ハズレは当たりの前」なのです。

はずれたということは、アタリに一歩近づいたということです。アタリばかりの人生もなければ、またハズレしかない人生もありませんから。

したがって、結婚した相手が浮気性だったとか、お金遣いが荒かったといったような不運に見舞われた場合には、ある程度諦めるのがいいのかもしれません。もちろん、あまりにひどい場合は話は別です。あるいは、ＤＶやモラハラなども論外でしょう。でも、多少の浮気性や浪費癖などの場合は、話し合っても進展がみられないなら、もう諦めるしかありません。

その際大事なのは、メッセージだけは伝え続けることだと思います。そうすれば、いつかいいことがあるはずです。少なくともそう信じて日常を過ごすのが、自分のためにも、また事態を改善するのにもプラスになると思うのです。

これは決して黙って耐えましょうという話ではありません。そうではなくて、もうどうしようもないものに悩まされるのはやめて、楽しく生きましょうということです。ほかのことに目を向けて。ひいてはそれが、静かに相手を変えることにもつながってきます。

『伊勢物語』に筒井筒というよく知られる説話があります。浮気をしているはずの夫を妻がやたら素直に送り出すので、かえって夫のほうが妻の浮気を疑い始めました。そこで隠れて見ていると、なんと妻はきれいに化粧をして、夫を想い歌を詠んでいたのです。そのけなげな姿に夫は心打たれ、もう二度と浮気をしなくなったという話です。

この妻が夫を問いただしでもしていたら、きっと夫は二度と帰ってこなかったでしょう。人は強くいわれると構えますが、関心を持たれないようになると逆に気になるものです。押してもダメなら引いてみるというのは、そういうことでもあるのかもしれません。

引いて幸せになる方法、それがショーペンハウアーの説く諦めの幸福論の神髄なのではないでしょうか。仏教にも影響を受けていただけあって、日本的な奥ゆかしさにも通ずる素敵な運のつかみ方であるように思います。

住む場所ではずれた――荘子×「魔女の宅急便」
本当は選択肢などなかったと考える

大人になると住む場所を自分で決めることができます。

仕事の関係である程度は限定されてくるとは思いますが、それでもどの沿線にしようかとか、どの駅にしようかとか、またどんな物件にしようかという感じで、気に入ったところを選ぶことはできるはずです。

私も何度か経験があります。特に印象に残っているのは、台湾に留学した時のことです。

初めての土地で、初めての海外暮らしでした。だから気に入った場所に住みたかったのです。街はもちろんのこと、アパートまでこだわりました。結局選んだのは、おしゃれな繁華街の裏路地にひっそりと立っていた趣のあるアパートでした。

一目見て気に入り、その場所に決めたのですが、実は梅雨のシーズンになると雨漏りに悩まされ続けました。いいと思ったものにも罠が潜んでいるのですよね。特に住む場所にはそういうことがあるように思います。

そこで思い出すのが、ジブリアニメの名作「魔女の宅急便」です。主人公の魔女キキが、修行のために知らない街で一人暮らしをすることになります。そして時計台や海のある街を一目見て気に入り、そこに住むことに決めるのです。

ところが、見た目とは違って、苦労の連続です。お金はかかるし、仕事も恋もうまくいかない。でもその苦労を乗り越えて、最後にはその町のことが本当に好きになります。私もそうでした。雨漏りには悩まされたものの、それ以外はとても快適で、便利な場所でしたから。最後には、もうずっと住んでいたい気持ちにさえなったのを覚えています。

これは必ずしもキキや私がラッキーだったわけではないと思います。「住めば都」という言葉があるように、誰しも同じ経過をたどるのではないでしょうか。つまり、最初はいいと思って選ぶのだけれども、思わぬ落とし穴があって後悔する。でも、その困難を乗り越え、最終的にはその場所が好きになる。

まさに中国の思想家荘子が説く万物斉同なのだと思います。荘子はこういっています。

天地という全体世界は一つの指であり、万物という全体世界は一つの馬である、という万物斉同《ばんぶつせいどう》に達するのである。（『荘子　全現代語訳（上）』講談社学術文庫、76頁）

ここで荘子が説いているのは、すべてのものはすべて同じ一つのものであるという考え方です。

たしかに、この世のすべては同じ地球が生み出したものであり、自然を見ているとすべてが循環し、つながっているようにも思えます。ただここで重要なのは、荘子は単に物事に区別などないということをいっているわけではない点です。

すべてのものは一つであるがゆえに、どんな道を選んでも同じだといいたいのです。私たちはつい、ほかにも選択肢があったかのように思ってしまうのですが、そうではないというのが荘子の思想のハッとさせられる点です。

たとえば、分かれ道があったとしましょう。右に行くか左に行くか。なんとなく右がよさそうだったので、そっちを選んだ。ところが、途中でぬかるみになり、とても歩きにくい。こんな時、「ああ、左の道を選んでおけばよかった」と後悔します。

でも、本当はそんな選択肢はなかったのです。自分が右を選んだ以上はそれ以外に選択肢などなかったと考えるわけです。あたかも選択肢があったかのように勘違いしているだけのことです。

住む場所も同じです。いいと思って選んだのに、思わぬ不幸が待ち構えていた。これなら別の場所を選んでおけばよかったと思いがちですが、決してそうではないということです。その選んだ場所しかなかったのです。少なくとも自分の人生においては。

そんなことをいうと、実際に自分はいくつかの候補を前にして悩んだといわれるかもしれません。それは事実でしょう。でも、結局は今の選択をしているわけです。そう考えると、それしかなかったともいえるのです。

なんだか寂しいような気もしますが、捉えようによってはこんなに楽なことはありません。選択を後悔する必要がなくなるのですから。運に左右されているようで、実はほかに道は存在しないのだとすれば、それはそれで腹をくくれるのではないでしょうか。

しかもこの場合選んでいるのは自分です。これは予め決まっていたというのとは違います。それだと運命によってすべて決定されているみたいで、積極的な気持ちにはなれないでしょう。

やはり選ぶという行為は人間にとって重要であるように思います。特に住む場所を選ぶというのは、これからの自分の生き方を決めることに直結してきます。それを積極的にやらないのは、積極的に生きないのと同じです。だから選ぶ行為はポジティブでなければならないのです。

その積極性の代償として、落ち込むことも増えると思いますが、それもまた最終的にはその選択が正しかったことを知った時の喜びを増す材料になるに違いありません。すべての問題を自分の力で乗り越えた魔女のキキが、親に向けて手紙にこう書いたように。

「落ち込むこともあるけれど私、この町が好きです」

あらゆる場所は、そうやって自分のアイデンティティの一部となっていくのかもしれません。先ほど台湾の話をしましたが、私の場合も台湾はアイデンティティの一部になっています。

それは一時期台湾に住み、語学を身に付け、友人ができたというだけでなく、そこで困難を乗り越えてきたその経験が、場所と共に自分の心身に刻み込まれているということにほかなりません。

その意味では、住む場所は多少試練を与えてくれるようなところのほうがいいのでしょう。期待はずれであったり、思わぬ罠が潜んでいるほうが、人間性を磨くいい機会になりうるからです。

通常私たちは、そんな基準で住む場所を選ぶことはないと思いますが、実際には住む場所にはそういう効果があるのです。だからといって、あえて住みにくい場所を選ぶ必要はないと思います。新しい場所というのは、ただでさえ住みにくいものですから。それにわざわざ住みにくいところを選ぶと、期待はずれだとか思わぬ罠ということが逆になくなってしまいます。

私がいいたいのは、だから過度に慎重にならなくていいということです。どこに住むかを選ぶ時には、「もし失敗したら……」なんて考えないでくださいね。そう簡単に引っ越せないのはわかりますが、それは決して不可能なことではありません。何より、失敗こそが自分のプラスになるのですから。特に住む場所に関しては。

ちなみに私は引っ越し魔で知られています。何を隠そう、大学を出てからだけでも何十回も引っ越ししていますから。でもどこもいい想い出です。ご安心を！

買い物ではずれた――モラン×「ロン　僕のポンコツ・ボット」

詩的生き方でハズレを愛する

こんなもの買うんじゃなかった！　一生のうち私たちは何度そう思うことでしょう。モノは私たちの外部にあります。だから使い始めるまでその実態はわからないのです。モノの命は、それを使う人間と一蓮托生、いや、モノはそれを使う人間によって初めて命を吹き込まれるといっても過言ではありません。

だからそもそも、使い始めるまでそのモノが何なのかということは知りようがないのです。もちろん説明書はあります。しかしそこに書かれているのは、あくまでそれを作った人の感想であって、実際にそれを手にして使い始めた人の感想ではないのです。使う人によってモノの意味は変わるのですから。

「こんなもの買うんじゃなかった！」というセリフが繰り返されるのは、そうした理由からです。では、いったいどうすればいいのか？　参考にしたいのは、フランスの哲学者エドガール・モランの思想です。

モランは人間の生き方を二つに分けます。一つは散文的生き方で、もう一つは詩的生き方です。

詩的状態は幸福の感情を与えるし、幸福はそれ自身のうちに詩的性質を持っています。

（『百歳の哲学者が語る人生のこと』河出書房新社、72頁）

モランは20世紀から21世紀にかけて激動の100年を生きてきた哲学者です。その彼が不確実な日常を生きるコツとして説いたのが、詩的生き方の勧めだったわけです。どういうことかというと、散文とは論理的なものなのに対して、詩とはその都度感じたことをそのまま表現するものです。

この比喩の通り、論理的に考えて予め計画した通りに生きるのが散文的生き方で、反対にその都度状況に合わせて臨機応変に生きるのが詩的生き方だと、ひとまずはいえます。

ただ、モランの詩的生き方が美しいのは、単に臨機応変なだけでなく、それがいいと思って感動して生きることが可能な点です。このことは、詩という比喩を見れば明らかでしょう。詩を詠む時、私たちが瞬間瞬間を愛でるのと同じように、人生に感動して生きるというニュアンスがあるように思います。

これを応用するなら、買ったものが気に入らなかろうと、不良品であろうと、そのモノに感動せよということです。自分の選択の結果、不運が訪れたとしても、それに感動さえするというのは困難に思えるかもしれません。でも、決して不可能ではないと思うのです。モノにも個性があります。故障しやすいものだってあるでしょう。簡単に返品できるならいいですが、そうでない限り、良さを見出してあげるのもいいのではないでしょうか。

ポンコツロボットを描いたアニメ「ロン　僕のポンコツ・ボット」は、まさにそのことを私たちに教えてくれる作品です。友達がいない主人公のバーニーが買ってもらったBボットのロンは、実はポンコツだったことがわかりました。でも、ロンにはほかのBボットにはない個性がありました。

それもそのはず、ほかのBボットは皆同じプログラムで書かれ、同じネットワークにつながれていて、ある意味で全部同じものだったのです。言い換えると、ほかのB

ボットは皆散文的生き方しかできなかったのでしょう。それに対して、ロンだけは自由に、つまり詩的生き方ができたのだと思います。だから予想外のことをしでかすし、本当の意味でバーニーを楽しませることができたのです。そのことに気づいたバーニーは、おかげで本当の友情を手に入れることになります。

私も最近モノを買うことは少なくなりましたが、映画を観たり、小説を読んだ時に同じような思いをすることがあります。たとえ期待はずれな作品であっても、何か一つくらい得られるものがあるはずなのです。そういう要素を見出せるかどうかで、人生は大きく変わってくるように思います。

映画なら一本2時間、小説なら一冊に何時間もかけることになるでしょう。せっかく費やしたその時間を自分のプラスにするためには、何かを得なければなりません。にもかかわらず、負の側面ばかりに目を向けて文句をいっているようでは、ただ時間を無駄にしただけになってしまいます。

モランもまた多くの不運に見舞われてきました。100年も生きていれば、当たり前のことですが、いいことばかりではありません。ましてや激動の20世紀をヨーロッパで生き抜いてきたような人です。

でも、そこで経験したことをそれこそ詩のように受け止め、むしろ有意義な人生を送ったといっていいでしょう。それは彼がたどり着いた人生の結論に表れています。モランにとって、人生とは愛を選ぶことだそうです。

これ自体がもう詩のような発想ですが、きっと彼はすべてのものを愛そうとしてきたのでしょう。時にそれは学ぼうとする姿勢であったり、楽しもうとする姿勢だったのだと思います。

考えてみれば、人間は不要なモノや壊れたモノでさえ楽しむことができます。ガラクタという言葉はその象徴でしょう。ガラクタとは使い物にならないモノのことですが、それをおもちゃにしたり、コレクションしたり、また場合によっては別の形で使うことも可能です。何より、漢字では我楽多と書くこともある通り、自分次第で楽しみを増やすことができる素材だと見ることもできるように思うのです。

もしかしたら、すべてのモノは我楽多なのかもしれません。自分次第でいくらでも楽しみが増える対象だということです。

私は昔から天邪鬼な性格のうえに妄想癖が強かったので、モノを決められた用途のまま使うより、別の使い方をしたり、ガラクタを集めてきてはそれで何かを作るというようなことをしてきました。今思えば、それが視点を変えるという哲学に向いていたのでしょう。当時は気づきませんでしたが、その私の経験からしても、あらゆるモノの命運を握るのは私たちなのです。だからこそ、何を選んだとしても、楽しめばいいのです。

その方法が視点を変えるということなのだと思います。これは運に左右されずに生きるためのコツだといってもいいでしょう。とりわけモノに関しては、いくらでも運を変えることが可能です。どう見るかだけの話ですから。これは別に哲学者でなくても、センスがなくても、少しトレーニングすれば誰にでもできることです。

視点というのは、自分の目のことをいいます。そして人は自分の目しかないので、視点が固定されてしまうわけです。ということは、別の人やモノの目になればいいのです。たとえば、子どもの目になれば、子どものようにモノを捉えるでしょう。猫の目になれば猫のように、鉛筆の目になれば鉛筆のように捉えることが可能なのです。

鉛筆に目などないといわないでください。その時点でもう視点を固定してしまっています。そういう場合は鉛筆を擬人化すればいいのです。

そうやってあたかもモノに目があるかのように想像すれば、鉛筆が日頃どう考えているかがわかってきます。ぜひトレーニングしてみてください。視点だけで運が左右できるなんて、ある意味コスパは最高ですから。商品がコスパを決めるのではなく、視点がコスパを決めるのです。

もう不良品もガラクタも、この世には存在しません。あるのは純粋なモノだけです。それに気づいた時、目の前のモノはかけがえのない存在にさえなりうるはずです。

バーニーにとってポンコツＢボットのロンがそんなかけがえのない存在になったように。実際、ロンは性能が上がったわけでもなんでもないのですが、バーニーの彼を見る目が変わったからこそ、二人は友達になれたのです。その意味では、バーニーはもともと詩的生き方のできる少年だったのかもしれません。


ぜひ視点を変えて見てみてください。いかに私たちが多くのかけがえのない存在に囲まれているか気づくはずです。今の時代、私たちはモノに溢れています。だからこそ気づかないのかもしれませんが、一つひとつのモノに個性があり、意味があります。

結局、この世にハズレのモノなどないのです。あるのはほかとは違うモノだけです。少しほかのモノとはズレているだけなのです。ほかのモノと「はズレ」ている。ハズレとはそういう意味だといえばいい過ぎでしょうか。でも、ロンを見ていると本当にそんな気になってくるから不思議です。すべては愛すべきハズレなのです。

心身の一致ではずれた──マラブー×「身体改造レシピ」

身体には可塑性があり、変えられると信じる

誰しも生まれ持った身体は、一般的には変えようがないと思っています。でも最近はだいぶ美容整形も広がってきて、多少顔を変える人は出てきています。いや、多少どころか顔の骨を削ったりする人もいます。

さらには顔だけでなく、体形を変えるためにあばら骨を取ったり、足の骨延長手術を受ける人もいます。ここまでくるともう身体改造といってもいいくらいですが、考えてみれば年を重ねるごとに人の考えが変わっていくように、身体が変わっていってもおかしくはありません。

この世の中には心身の一致、つまり、心と自分の身体との関係に違和感を抱いている人が割といます。たとえば、心の性と身体の性の一致や、心の望む身体と実際の身

体との一致に問題を抱えている人たちです。

これは第1章で論じた身体ガチャともいうべき状況とは少し異なります。第1章で論じたのは、あくまで生まれ持った身体の障がいや、事故などによって身体の自由が損なわれたような状況です。しかもそうした障がいや身体の不自由はもう変えられないということを前提にしていました。あたかもガチャガチャが交換不可能であるのと同じで。

でも、ここで論じているのは、心と身体の不一致であって、しかも自分で変えようと思えば変えられる状況を前提にしています。その点で両者はまったく異なります。したがって、心と身体の間に違和感を覚える人たちが、もし身体を変える手段を手にすれば、当然変えたいと思うでしょう。もともとの身体は運で与えられたものなのですから、ハズレだと思うならむしろ自分でそれを変えることは運に左右されない強い生き方なのです。だからあたかも彫刻を削るかのように、身体を変えていけばいいわけです。

フランスの哲学者カトリーヌ・マラブーは、可塑《かそ》性という概念を提起しています。もともとは造形するという意味のギリシア語に由来する言葉なのですが、マラブーはこんなふうに表現しています。

> 一度形成されるとその祖形を再び見出すことができない大理石彫刻のように、形態を保存するものこそが可塑的なのである。したがって、「可塑的」とは変形作用に抵抗しながら形に譲歩することを意味する。（『ヘーゲルの未来——可塑性・時間性・弁証法』未來社、32頁）

可塑性とは、まさに彫刻のごとく抵抗しながらも変容を受け入れていく性質を指すのです。身体改造とは、自分の身体を素材とした彫刻だといっても過言ではありません。つまり、可塑性という概念で身体改造を捉えることが可能だということです。

現にマラブーは、人間の神経の可塑性について論じています。脳神経の仕組みを可塑性によって説明しているのです。脳の中で起こる神経の結合や、その結合の変容、さらには神経の損傷の修復能力を意味するわけです。

つまり、何か力が加わることで新しい事態が始まるのだけれども、決してそこで固定されてしまうことのない状況を可塑性と表現するのです。そこには、「柔軟性、創造性、形を受け入れるとともに与える能力、ひとことでいえば自由」があるといいます。

可塑性とは、自由を実現するために、物事に新たな可能性を与える動作であり、きっかけとなる原理だといえそうです。

人間の身体もそんな可塑性の可能性に満ちた存在なのでしょう。


身体改造の経験談を元に構成された漫画「身体改造レシピ」では、そんな人間の可塑性をフルに発揮し、自分を変えていった人たちの様子がリアルに紹介されています。この作品に可塑性という言葉が出てくるわけではありませんが、自由を求めて身体改造を繰り返す登場人物たちは、可塑性を実践しているように思えてなりません。

「身体改造レシピ」で最初に紹介されているのは、この漫画の作者自身の話です。作者は、自分に自信がなく、自分の身体にも違和感を抱いていました。そこでタトゥーを入れたり、蛇のように割れた舌、スプリットタンにしたりします。あるいはストーリーに登場する別のある女性は、体中にピアスの穴を開けたり、手にインプラントと呼ばれるシリコンを埋め込んだりします。

そうやって自分の身体が徐々に変わっていくことを楽しむのです。次はどう変えようかとレシピを考えながら。まるで駄菓子屋でアイテムを探すかのように、新しい自分を手に入れていくのです。

面白いのは、それによって自分自身の新たな可能性が開けていき、マラブーのいう通り、自由を手にする点です。身体改造は、単に外見を変えるだけの営みではありません。それは人間の中身も変えることにつながるのです。いや、人生を変えることにつながるといっても過言ではないでしょう。

しかも身体の可塑性は無限大です。医療の発達もあって、今や私たちはどこまでも身体を改造することができます。脳以外はすべて取り換えることも可能なのではないでしょうか？　あるいは脳もまた変えられるようになるのかもしれません。もうそこまでくるとＳＦの世界ですが、それに近いところまで現実が追いついてきているような気がしてなりません。猛スピードで。

生まれ持った身体、人間とは何かという観点からすると、異論もあるかもしれません。ただ、運に左右されない生き方という意味では、これは明らかにグッドニュースだと思うのです。「身体改造レシピ」に登場する人たちが、皆人生を輝かせて生きているように。

第3章

アトラクションパターンでの不運をものともしない

多くの人はＯＫなのに自分だけが条件外で絶対ＮＧ!? アトラクション運を哲学する

皆さんはアトラクション、好きですか？

ここでいうアトラクションというのは、遊園地やテーマパークにある乗り物を指しています。まあ、ほかの章の遊びに比べると昔の遊びとまではいえないかもしれませんが、昔から人を引き付けるためのエンターテインメントはいろいろと存在しました。

では、アトラクションがどうして運と関係するかというと、利用できる人に制限があるからです。たとえばジェットコースターであれば身長制限があったりします。ものによっては年齢制限や体重制限、あるいは健康面での制限が課されているものもあるでしょう。そうすると、多くの人は無条件に望む結果を得られるのに、特定の人には制限が設けられているということになります。これはまさに運ではないでしょうか？

アトラクションというのは、もともと魅力とか引き付けるものという意味の英語です。楽しそう、刺激がありそうと引き付けられるもののことです。ジェットコースターなどのアトラクションは、そうやって人々の心を魅了するのですが、一定の人たちにはそれを利用する機会が与えられないのです。それが本人のせいならまだしも、年齢や性別、体質、あるいは家庭環境のせいだとしたら、あまりにも不合理です。

引き付けるくせに、排除されてしまうなんて！　いっそ魅力がなければいいのに、面白そうだったり、やりたくなったりするものであるばかりに、つらい思いをしなければならないのです。「なぜ自分だけ……」と。

親ガチャとは異なり、誰もが平等に不運になる確率があるというのではなく、ある一定の人にだけ不運が訪れることが確実な状況。それがアトラクションにほかなりません。いや、もちろんアトラクションそのものは不運を与えるために存在するわけではないでしょう。でも、それは人を魅了するものであるだけに、そういう負の側面を抱えていることに着目する必要があります。

もしかしたら、人を魅了するためには、誰かを排除するくらい尖った要素が求められるのかもしれません。誰でもできるものは、それだけ魅力が薄れてしまいますから。制限されればされるほど、排除されればされるほど、人は魅了されるものなのです。

そもそもダメだといわれると、人間は余計にやりたくなるものです。挑戦とはそういう営みでしょう。難しいからやる、危険だからやる、周囲がダメだというからやる。それが人間です。アトラクションは挑戦なのです（**図**）。

困難だからこそ魅了される、アトラクションであるがゆえのジレンマ。この章ではそうしたジレンマをもたらす、体質、性、家庭、年齢、そして余命宣告といったテーマを取り上げたいと思います。いずれも本質はアトラクションと同じ不運な制限になりうるものです。そのせいでやりたいことがやれないわけですから。

もちろん、人生におけるライフイベントなどは、遊園地のアトラクションとは違って、「別にやらなくてもいいもの」ではありません。でも、厳密にいうと、この世に必ずやらなくてはならないことなど存在しないでしょう。少しでもそれをやりたいと思うなら、それはやはり何かに魅了されて、自分がやりたいと思っていることなのです。

その意味でアトラクションの本質は、ある対象について、自分がそれをやりたいと感じることによって引き付けられる事態を指すのだと思います。にもかかわらずそれができないなんて、実に不運です。

ただ、ここでもやはり乗り越えられない不運はないといえます。自分を変えることで、あるいは待つことで、さらには世の中を変えることでチャンスをつかむことは可

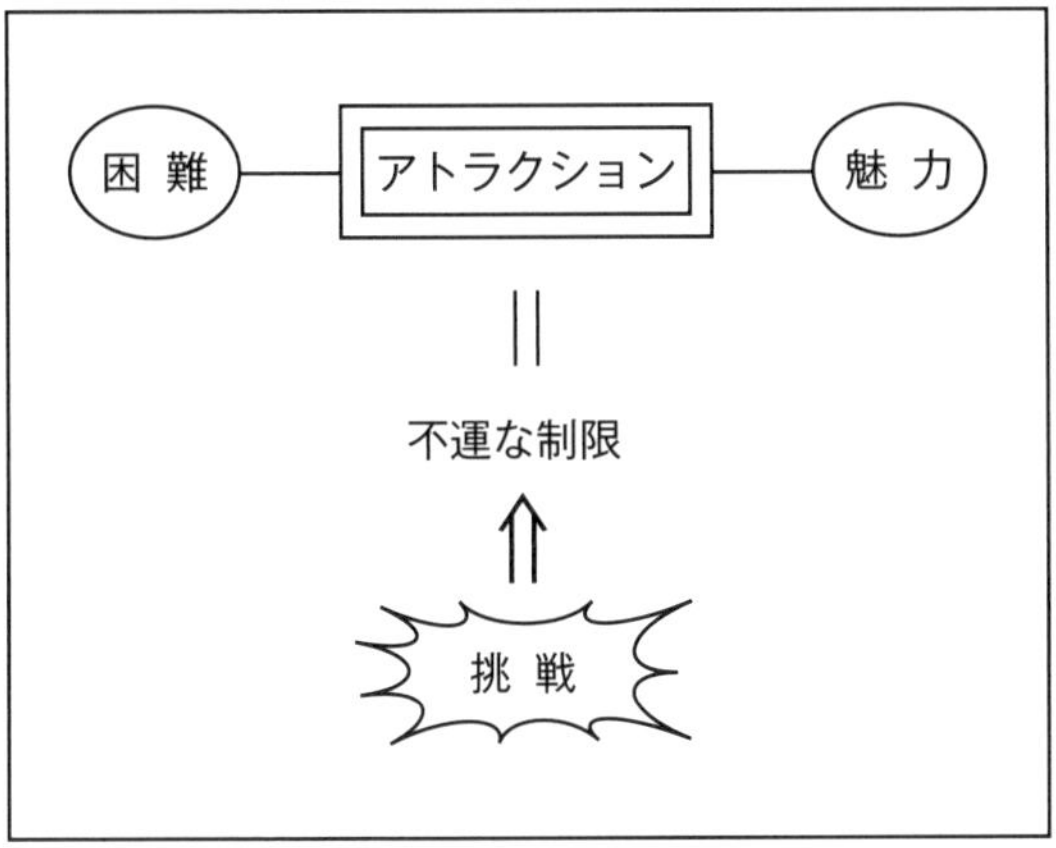

能です。どこまでやれるかはわかりませんが、人間は挑戦することだけはできる存在です。魅力的な存在ですよね。その点では、人間こそが魅力的な存在、いわばアトラクションなのかもしれません。

本章ではそんな不合理な基準や制限を乗り越えるための方法について考えてみたいと思います。

体質が普通じゃない——ベンサム×「らんま1/2」

誰もが少数者だと思って声を上げる

人生全体がアトラクションだとしたら、その基準は決して身長でも年齢でもなく、功利性の原理だといっていいでしょう。いや、正確にいうならば、身長や年齢もまたその功利性の原理によってある種の基準にされているということなのかもしれません。身長何センチ以下はジェットコースターに乗れないとか、何歳以下は一人で乗れないとか、それらはすべて功利性の原理によって決められているといっても過言ではないのです。

ごく単純化すると、功利性の原理とは、幸福な世の中を作るために、効用を最大化するのがいいと考える立場のことです。つまり、メリットが最大になるように基準を決め、線引きをする考え方といっていいでしょう。

たとえば、１１０センチに満たない人は一人で乗れないとしているジェットコースターがあります。これはそのほうがトータルとして世の中の幸福が不幸に勝るからです。乗れない人たちの不幸より、乗せたことで生じる事故などを防ぐ幸福のほうが勝るということです。

こうした考え方を功利主義といいます。イギリスの哲学者ベンサムが唱えた哲学で、以降どこの世界でもこの基準こそが世の中の正しさのよりどころとなっているのです。彼は功利性の原理についてこう言い切ります。

功利性の原理に適った行為であれば、それはつねになすべきであるか、少なくともなさざるべきでないと語ることができよう。あるいはそうした行為をなすのが正しいと語ることができよう。あるいは少なくともその行為をなすのは不正でないと言えよう。またはそれは正しい行為であるとか、少なくとも不正な行為ではないと語ることもできよう。（『道徳および立法の諸原理序説　上』ちくま学芸文庫、31－32頁）

功利性の原理に適った状態、つまり幸福が上回っている場合は、常に正しいのです。物事にはなんでもプラスの側面とマイナスの側面があります。したがって、どっちを選ぶべきか、またどこで線を引くべきかは、全体としてプラスが上回るかどうか次第だということです。

俗にこうした発想は「最大多数の最大幸福」とも呼ばれることがあります。ベンサムの功利主義をうまく言い得た表現です。ただ問題は、こうした考え方に従うと、必ず少数の犠牲が生じることです。

この世は大多数の人の幸福に合わせて基準を決めたり制度設計しないと成り立たないのはよくわかりますが、それでも犠牲となる少数者を放置していていいのかどうか。たとえば、なぜこの世のすべての施設にエレベーターがついていないのか？　それは足に問題がなく、階段を上ることができる大多数の人を前提にインフラが設計されているからにほかなりません。

残念ながら、世の中は基本的に多数者に合わせて設計されているのです。ルールも基準もすべてそうです。だから、たとえば性別がコロコロ変わるような人は念頭に置いてさえいません。男か女かどちらかと決めてかかっているのです。

いや、最近はようやく多様な性の存在を認識し始めたので男女以外の性別がありうることも前提にはしていますが、それでもまだ性別がコロコロ変わるなどという状況は想定していません。でももしそんな人がいたら、それはやはり少数の犠牲者になるのです。

漫画「らんま1/2」は、まさにそんな少数者の悲劇を描いた作品です。

いや、本当は喜劇なのですが、哲学的には悲劇になるといっていいでしょう。主人公の高校生格闘家・早乙女乱馬は、なんと水をかぶると女性になってしまうという特異体質を持っているのです。

普通はそんなことありえませんが、あくまで漫画の世界ですから。彼は中国に修行に行った際、ある池に落ちてそのような体質になってしまったのです。そしてお湯をかぶると元に戻ります。いわば性別がコロコロ変わる体質なのです。

当然乱馬は社会生活を送るうえで相当の不便を強いられます。プールに入れないとか、逆に女性の姿の時には女風呂に入れないとか。そもそも水をかけられただけで性別が変わるせいで、安心して日常生活を送ることすらできないのです。

かといって、世の中はそんな人のために特別な制度や施設を用意してはくれません。おそらく乱馬のような人はほかにいないでしょうから。そうすると、乱馬はもう苦しみながら生きるよりほかないわけです。

ちなみに、乱馬と一緒に修行していた父親の玄馬もまた、中国で怪しい池に落ち、水をかぶるとパンダに変身してしまうという特異体質を持っています。性別が変わるどころか、パンダに変身してしまうなんて、もう社会としてもどうフォローしていいのかわからない状況ですが、世の中にはそれに似た不合理に甘んじている人はたくさんいるのではないでしょうか。

たまたまある体質に生まれたがばかりに、権利を剝奪されているとか不利を被っているという人は多いに違いありません。アレルギーなどはそうでしょう。みんなが食べられるものが食べられないとか、みんなが平気な状況なのにその場にいられないとか。

その状況を乗り越えるためには、もうベンサムのせいにするしかないと思うのです。現にこの世界は割と功利主義的発想に基づいて制度設計されています。つまりベンサムが悪いのです。ですから、自分が悪いのではなく、ベンサムが作った基準に問題があるとして、開き直ればいいと思います。

現にこの世の不合理な状況や、虐げられている少数者は、そうやって権利を獲得してきました。何も泣き寝入りする必要はないのです。悪いのは自分でもなければ、多数者でもなく、あくまで基準なのですから。私がベンサムのせいだといったのはそうした理由からです。基準などいくらでも変えられます。声を上げさえすれば……。

先日テレビで、小麦アレルギーの人のためのパン屋さんを特集していました。アレルギーのある人にもパンを食べてもらおうと、米粉を使ったパンを作っているのです。そのお店でパンを買っている少年は、昔から給食でみんなと同じようにパンが食べたかったそうです。そんな時、このパンに出逢い、ようやくみんなと同じ時間を同じように享受できるようになったといいます。このパン屋さんは、まさにそんな子どもたちのために米粉でおいしいパンを作るという取り組みを始めたのです。

これはパンだけの話、あるいは小麦アレルギーだけの話ではありません。アレルギーというのは、体質の問題であり、体質とは文字通り体の質ということです。それは悪いことでもなんでもなく、人によって異なるのです。最近はようやくアレルギーに対する理解が深まってきて、お店でも事前に尋ねられるようになったり、事前に情報が開示されるようになりました。

世の中がここまで進んだのは、やはり誰かが声を上げてきたからだと思います。そして行動してきたからだと思うのです。最初は何事も多数者に合わせて作られるかもしれません。でも、それに適合しないなら、堂々と声を上げればいいのです。

仮に自分が特異体質で、ほかには同じ体質の人はいないとしましょう。それでも、なんらかのアレルギーなど特異体質であることに悩みを抱えている人は、決して少数ではないはずです。完璧な身体を持った人などいないのですから。その意味では誰もが少数者なのです。違う問題を抱えているだけで。だから声を上げればきっと共感してもらえるに違いありません。

さあ、勇気を出して……。

性に絡む悩みがある──フーコー×「レビュダン！」
自分らしい生き方を見せて周りを巻き込む

　最近ようやく多様性が叫ばれる世の中になった感があります。いや、だからといってそれが実現したわけでは決してありません。だからこそ多様性の大切さを強調しなければならないのでしょう。

　とりわけ性に絡む差別、性的マイノリティに対する差別は、まだまだ深刻な問題です。でも、本来は誰もが自分らしく輝ける世の中、自分の好きなことを追求できる世の中であるべきです。

　男はこうあるべきとか、女はこうあるべきといった不合理な制限によって、自分らしさを追求できないのはあまりに不運だと思います。そもそも男らしさや女らしさという概念も問題ですが、異性を愛さなければならないということさえも必然的なものではないはずです。男とか女とかいう前に、私たちは一人ひとり個性を持った人間なのですから。

フランスの哲学者ミシェル・フーコーは、まさにそんな個々人の生き方について探究した人物だといっていいでしょう。それは彼が晩年に発見した生存の美学ともいうべき概念に象徴されているように思います。

快楽についての古代の道徳的省察は、性行動の何らかの成文化とか、主体にかんする何らかの解釈学とかに向かうのではなく、態度の何らかの様式化と生存のある種の美学に向けられているのだ（『性の歴史Ⅱ　快楽の活用』新潮社、１１３頁）

ここでフーコーは、古代ギリシアの時代の性道徳について論じているのですが、それは単なるルールを作るという方向ではなく、むしろ個々人の生に対する姿勢を重視する方向に向かったといいます。彼はそれを生存の美学と呼んでいるのです。

フーコーによると、古代ギリシアの時代から、性について勇気を持って告白する歴史があったようです。だから彼は自分の人生に対する美的価値を訴え、またその価値に独自の存在意義を認めようとしたのです。

実はフーコー自身、同性愛者でした。同性愛に対しては、今以上に風当たりの強かった時代ですから、当時フーコーはそのことに悩んでいました。でも彼は、自らが論じる生存の美学を実践することにしたのです。

それは決してゲイの権利が認められることを人に要求するというものではなく、むしろゲイを一つの新しい生き方として生きるというものでした。そうして彼は、ゲイであることをカミングアウトし、それによって他者との新しい関係を構築しようとしたのです。

あたかもそれは、自らを一つの芸術作品のように見立て、固有の人生を送ろうとする態度だったといっていいでしょう。

重要なのは、自分が芸術作品である以上、人にその良さを強制したり、ましてや人と争ったりする必要はない点です。その戦略こそが、逆に理解を広げていく推進力となりえます。


男子高校生が宝塚のような歌劇を演じる漫画「レビュダン！」は、そんな男子たちの葛藤と努力を描いた青春作品です。演劇部に所属する男子高校生たちは、シンデレラを演じたことで周囲からからかわれます。それでも女性の役も演じたいという熱い思いを持って、懸命に演劇に取り組みます。その姿が感動を誘うのです。

そして次第に周囲を巻き込んでいきます。

まさにフーコーの論じた生存の美学さながらに、彼らは自分たちの輝いている姿によって、自然に共感を獲得していくのです。決して上手ではなくても、自分を愛しているその姿に共感をするのだと思います。

最初は部員の数も揃わず、振りつけさえも揃っていなかったわけですが、舞台上でただ楽しんでいる姿を見せることによって、新しい仲間を引き付けていきました。偏見などというものはどこかで聞いた噂みたいなものです。

だから、それを覆すような現実を見せられると、人は一気にその偏見を取り除くことができるのです。ある意味で百聞は一見にしかずなのです。嘘を百回聞いても、一度真実を目の当たりにすれば、偏見など一瞬にして覆ります。

とりわけ素敵な真実を目の当たりにすれば。男のくせに歌劇だとか、おかしいとかいうのは偏見に過ぎません。一度パフォーマンスを見れば、誰もがその素晴らしさを理解するということです。

セクシャリティに絡むこの世のすべての偏見も同じでしょう。一人ひとりの人間が、自分の性をいかに愛し、楽しく生きているかを見れば、誤解は解けるはずです。

たとえば、もう十数年にわたりテレビで見ない日はないといっていいマツコ・デラックスさんも、そんな自分の性を愛し、楽しい日常を送っておられる一人です。ゲイであることを公にしながら、独自のポジションを保たれています。

決して自分の考え方を押し付けるのではなく、生き方を見せる。それをうまくやられているように思うのです。だからこそあれだけ万人に愛され、支持されているのではないでしょうか。

マツコさんは、著書の中でこんなふうに書かれていました。「流れに身を任せ、流れついた先で本気を出せばいい。これがアタシの信条」（『デラックスじゃない』双葉文庫、２０１６年、Kindle版、16頁）。この抗うことなく、全力で生きる姿勢が、共感を呼ぶのだと思います。マツコさんの生存の美学です。

セクシャリティに限らず、誰しもがなんらかの違和感を抱えて生きざるを得ないこの時代に、それでも社会との摩擦に疲弊することなく輝いていくためには、それぞれ自分なりの生存の美学を持ち、凛として生きることが必要なのかもしれません。

家庭に恵まれない——ヴェイユ×「エヴァンゲリオン」
自分との和解によって不幸を無化する

「エヴァンゲリオン」は、宇宙からやってくる使徒と呼ばれる謎の生命体と戦う少年少女を描いたアニメ作品です。

人類の存在意義を考えさせる難解で哲学的な作品なのですが、主人公の家庭に着目すると少し違った見方をすることができます。実際、そんな人間模様もまたこの作品のモチーフの一つだといっていいでしょう。

主人公の少年碇《いかり》シンジは、普通のヒーローとはかけ離れたイメージを持つキャラクターです。彼はNERV《ネルフ》という地球防衛軍のような組織の司令官、碇ゲンドウの息子で、本人の意志とは無関係にエヴァンゲリオンという人造ロボットのパイロットに起用されます。というのも、エヴァンゲリオンには彼の亡くなった母親の魂が絡んでいるため、操作するうえで相性がいいのです。

この時点ですでにシンジの家庭はかなり複雑で同情したくなりますが、当時彼はまだ中学生で、唯一の肉親である父親とは別居状態にありました。しかもその父親は息子に愛情をかけるような人物ではありません。

だからシンジは、自分は父親に捨てられたとさえ思っていたのです。半ば強制的にとはいえ、彼がエヴァンゲリオンのパイロットになることを決意したのは、ある種の承認欲求だったのだと思います。


なんとも不幸な境遇としかいいようがありません。シンジ同様、家庭に恵まれなかったと感じている人は割といるのではないでしょうか。では、そんな不幸をどう乗り越えていけばいいのか。

参考にしたいのは、不幸について深く考察したフランスの哲学者シモーヌ・ヴェイユです。彼女は工場で働く人たちの気持ちを理解しようと自らも未熟工として働くなど、当時不幸な立場にあった人たちに徹底的に寄り添いながら思索を続けてきた人物です。

そんなヴェイユにいわせると、不幸とは決して避けることができないものなのです。

せいぜい軽減することができるくらいです。でも、だからこそそこに希望が生じます。彼女はこういっています。

ふたつの考えが不幸を多少は軽減する。ほぼ瞬時に不幸が終わるという考え。あるいは永遠に終わらないという考え。不幸を可能的または必然的なものと考えることはできても、たんに在るものと考えることはできない。（『重力と恩寵』岩波文庫、149頁）

もちろん不幸はなくなればいいですが、そういうわけにはいかないでしょう。とするならば、それは永遠に終わらないけれど、なんとかすることができると思えることが大事なのです。

そうやって自分が積極的に受け入れるとか、苦しむとかできたほうがまだましだということです。現にヴェイユは積極的に不幸を背負おうとします。

逆説的ですが、それこそが不幸を乗り越えるための方法だからです。決して逃げない態度。それが不幸を軽減するのです。碇シンジもまた、「逃げちゃだめだ」と何度も自分に言い聞かせながら、不幸を背負い込みます。

それゆえ彼はいつもどこか暗い雰囲気をただよわせているのです。そんな彼を救ってくれるのは、いつも言葉でした。それは誰かの言葉というよりは、自分の気持ちを言語化することだといったほうがいいでしょう。なぜ苦しいのか、シンジは必死にもがきながらそれを言葉にしようとします。

不幸と向き合うというのは、その内実を、その理由を逃げずに言語化することにほかなりません。ヴェイユが着目したのも、また言語能力でした。不幸な状況を説明し、抗議の声を上げるために言語化する能力のことです。声を上げられない人たちのために、ヴェイユは言語化する能力の習得を支援しました。

彼女自身、自分の苦しみを雑記帳に記し、常に言語化するようにしていました。それを集めて編集したのが、先ほど引用した『重力と恩寵』というヴェイユの作品の中では最も読まれている著作です。

執着を断つ、消え去ること、悪、暴力、矛盾、偶然……。個々の文章に付された表題だけを見ても、いかに彼女が不幸と戦ってきたかうかがい知れます。

ヴェイユが生まれ育った家庭そのものは、決して不幸と呼ぶほどのものではありませんでしたが、それでも彼女には死のうと思ったほどの挫折がありました。それは兄のアンドレがあまりに優秀で、子どもながらに自分の凡庸さを認めざるを得なかったという現実です。おそらくそれは不幸を受け入れるという彼女の原体験だったのではないでしょうか。

その後哲学に出逢った彼女は、そんな不幸を積極的に受け入れる人生へと歩みを進めていきます。34歳という若さでこの世を去ったヴェイユの人生は、どう見ても恵まれたものとはいえなかったように思います。それでもなお、彼女は不幸ではなかったのです。彼女自身が不幸を受け入れることで、それを無化してしまったからです。これこそが、重力のごとく避けることのできない不幸という現実を乗り越えるための、唯一の方法なのかもしれません。

言い換えるとそれは、ある種の和解として捉えることができるような気がします。実際、エヴァンゲリオンシリーズの完結編とされる「シン・エヴァンゲリオン」では、そうした和解が描かれています。物語の中でシンジは、エヴァンゲリオンに乗ってついに父親と対決することになります。

そして対決を前にこうつぶやくのです。「僕は僕の落とし前をつけたい」と。それは自分との和解であり、不幸を無化するためのイニシエーションにほかなりませんでした。結果的にシンジは父親とも和解し、人々の幸福を取り戻すことに成功します。

振り返ってみると、この「エヴァンゲリオン」という作品は、20世紀末の日本の不幸を象徴していたように思います。失われた時代は、そうして21世紀へと持ち越され、ついに和解に至ったのです。少なくとも作品の上では。だから完結編のコピー、「さようなら、全てのエヴァンゲリオン。」は、不幸に別れを告げるものだったのかもしれません。

だからどんな家庭に育ったとしても、不幸に別れを告げることは可能だと思うのです。相手を許し、受け入れ、和解することによって。いや、家庭にまつわる不幸は、そうすることでしか逃れられないのでしょう。重力のごとくまとわりついた縁という運命を断ち切るのは不可能なのですから。そのことに気づいた時初めて、人は重力を重荷に感じず生きていけるようになるのだと思います。

年齢がネックになる――ガルシア×「恋は雨上がりのように」
激しさで逆境を突き抜ける

いくら人を好きになっても、あまりに年齢差のある場合は、諦めざるを得ないケースが多々あります。男のほう、女のほう、どちらの年齢が上であれ下であれ、とにかくこの世の中、年齢の差はあたかもアトラクションの参加資格のごとく、恋愛の参加資格を阻むのです。まさに不運ですよね。

小さい子がすごく年上の人に憧れたりすることや、年齢を知らず好きになって後で困惑することは割とあるものです。命長き時代、また美容や医療技術の発展によって、誰しもいつまでも若くいられる時代には、そうした機会は増えていくのではないでしょうか。

アニメ「恋は雨上がりのように」もそうした問題を描いた作品だといえます。主人公の橘あきらは、高校二年生の17歳。そしてこともあろうに彼女が好きになった男性はバイト先の45歳の店長だったのです。その事実を知った周囲の人間は、当然反対します。

いや、周囲どころか店長の近藤正己《まさみ》自身さえ、援助交際を疑われるのではないかと躊躇する始末。でも恋愛に年齢は関係ないのですよね。情熱さえあれば。あきらは告白されてたじろぐ店長にこういってのけます。人を好きになるのに理由がいるのかと。

そう、この激しさこそが運を乗り越える方法なのかもしれません。

現代フランスの哲学者トリスタン・ガルシアが、そんな激しさについて論じています。激しさとは、近代に登場した電気のごとき力のことです。私たちは電気のおかげで、一気に文明を発展させることに成功しました。それによって人々は強く生きることができるようになったのです。そんな電気に象徴されるようなエネルギーが、人々を激しくさせ、強く生きることを可能にするというのです。

強さ＝激しさが万人にとっての倫理的な理想になるにつれて、より強く＝激しく

ないものでさえ電気を帯びる仕方で経験され、知覚され、表象されるようになったのです。弱い人間も、また、強く実存することができるようになったのです。（『激しい生――近代の強迫観念』人文書院、１０１頁）

ではその激しさを手にするためには、どうすればいいのか？

ガルシアは三つの要素を挙げています。

一つ目は変異です。それは音楽の抑揚みたいなものであって、その細かい変化に着目することで、生に強さが生じるというのです。変化に無頓着になってしまうと、心は動きません。自分の周囲の環境や状況に敏感になり、それに合わせようとするから、人の心は動くのです。時に私たちは、そういう心の状態を感動と呼んだり、ときめきと呼んだりします。

ハラハラドキドキといいますが、あれは予め心がそうなっているのではなくて、外部の刺激に合わせることで、心臓のビートが激しくなる現象を指すわけです。まずはそんなビートに自分を乗せることが大事です。

二つ目は加速です。技術を見れば明らかなように、人生も社会も加速することで強度を増すといいます。これは想像しやすいと思うのですが、スピードのないものに激しさを感じることはないでしょう。人を駆り立てるのは、やはりスピードなのです。ガルシアは、昔の車より今の車のほうが速く見えるだろうといいます。つまり、技術の進歩とスピードは比例関係にあるということです。人間もそうでしょう。決断の早い人、行動の早い人には勢いや激しさを感じるものです。

三つ目は初体験信仰です。つまり最初の経験に価値を見出せということです。何事においても、最初に経験した感動やインパクトを忘れないようにせよということだと思います。

すべての事柄について、誰もが初めての体験を持っているはずです。そしてどんな些細なことでさえ、それが初めてのことである限り、人間にとってはインパクトがあるはずです。初めて自転車に乗れた時、初めてビールを飲んだ時、初めて恋愛をした時……。それらすべての感覚を常に意識して思い出すようにしておけば、私たちはもっと刺激的に、激しく生きることができるということです。

「恋は雨上がりのように」のあきらには、その意味での激しさが備わっていたように思います。彼女はけがで陸上に挫折します。そんな矢先、心優しい店長の近藤に出逢い、恋心を抱いたのかもしれません。その状況を見透かしてか、理性ある大人の近藤は、彼女を遠ざけようとします。

でも、あきらは情熱でぶつかっていったのです。物語を見ている多くの人は、もしかしたらこれは単に青春の過ちであって、彼女は陸上から逃げるためにただ自暴自棄になっていただけだと捉えるかもしれません。

でも、恋愛とはそんな単純なものではないのです。たしかに彼女は陸上の世界に戻りましたが、それも近藤のおかげですし、何よりその後も彼のことを好きでい続けるのですから。最終的には、あきらの情熱が、まじめな近藤の心を開いたような気がします。

ガルシアのいうように、変異、加速、初体験信仰のすべてがあきらを突き動かしたのでしょう。

何しろあきらは、行き詰まった自分を変えたいと思っていましたし、びっくりするくらいストレートに近藤に迫り、何より自分がこれまでやってきた陸上での体験を大切にしてきました。陸上と恋愛は関係ないように思われるかもしれませんが、やはり何事も成功体験が原動力になっているものです。

あきらの場合は、陸上での成功体験が明らかに自信になっています。それを捨てなかったからこそ、大胆な行動に出ることができたのです。そして、また陸上の世界に戻れたのです。けがという挫折を乗り越えて。このようにして彼女は激しさで逆境を突き抜けたのです。

恋愛に話を戻すと、まさにその激しさに近藤が押し切られます。そうして二人はデートをし、本当の愛へとコマを進めるのです。決していやらしい愛ではなく、人としての本当の愛へと。

恋愛だけが愛のカタチではありません。誰かを尊敬し、信頼すること、それも立派な愛だと思います。その意味での愛には、年齢制限など存在しないのです。

余命宣告を言い渡された――デーケン×「君の膵臓をたべたい」

生と死を同列に捉え、死に向き合う

余命宣告を受けた人たちはきっと、どうして自分だけが、と感じることでしょう。ほかの人たちは楽しく生きているのに、そしてこれからも生き続けることができるのに。とりわけ若い頃にそんな酷い事実を突きつけられたような時は、現実を受け入れるのが難しいように思います。

ところが、中にはその過酷な現実を受け入れ、死と向き合いながら生きていける強い人がいます。

「君の膵臓をたべたい」の主人公桜良は、まさにそんな強い人だといえます。この作品の原作は小説ですが、アニメや漫画にもなっています。

少しずつ展開が違ったりするものの、膵臓の病気で余命を覚悟した桜良が強い意志で日々を楽しむ姿は共通しており、私たちに勇気を与えてくれます。たとえ死ぬことがわかっていても、人はこんなに前向きに生きられるのだと。

ヒロインの桜良は、膵臓の病気で死ぬ運命にあります。だから残りの人生を楽しむために、やりたいことを前向きにこなしていきます。悔いのないように。その笑顔、行動力からは、誰も彼女が間もなく死ぬなどとは想像もつきません。ただ一人「僕」を除いては。

「僕」というのは、主人公の同級生志賀春樹のことです。彼は人に関心がなく、友達もいないがゆえに、桜良から信頼され、唯一病気のことを打ち明けられます。もちろん本当はそれだけが理由ではなく、桜良は彼に思いを寄せていたわけですが。

それでも桜良にとっては、「僕」がかっこいいとか優しいとかそういうことではなくて、「真実と日常」を与えてくれることこそが重要でした。余命宣告を受けた人間には、残酷な真実が与えられるか、腫れ物に触るかのように、接する周囲からの偽りの日常しか与えられないからです。

でも「僕」は違ったのです。桜良の病気に動じることもなく、ごく普通に接してくれたのです。それが彼女には心地よかった。おそらく死を前にした人にとっては、日常こそが最も重要で、愛すべきものなのかもしれません。

私たちはつい余命宣告という相手にとって特別な事態を前にして、何か特別なものを呈示しようと努めますが、本当に必要なのは日常なのです。

現に桜良は努めて普通に生きようとしていました。世界旅行に出かけるのでもなく、ましてやふさぎ込むのでもなく。この作品を見ていると、もしかしたら病に限らず、どんな大きな問題を抱えていたとしても、私たちはもっと日々を楽しむことができるのかもしれないと思えてくるから不思議です。

いったいなぜなのでしょうか?

この点、日本における死生学のパイオニアといってもいいドイツ出身の哲学者デーケンは、自らもガンの宣告を受け、死への恐怖を感じたといいます。でも、決して死を遠ざけることはしませんでした。その理由について彼はこう述べています。


思考から死への意識を排除することは、一見、生を強調しているかのように思われるかもしれません。しかしそれは違います。死とともに生への意識も衰えさせる危険をはらんでいます。（『より良き死のために――「死への準備教育」創始者が伝えたいこと』ダイヤモンド社、32頁）

デーケンは、生と死が表裏一体のものであると考えていたからこそ、死だけを遠ざけるのは、生をも遠ざけることであるという事実をよくわかっていたのです。残された時間、死を忘れようとすることは、その残された時間をも忘れてしまうことであると。だから死と向き合う必要があるのです。これは余命宣告を受けたというような状況に至らなくても、日頃から心がけたほうがいいでしょう。ある意味、私たちは日々死に直面しているのですから。

デーケンも、死について学ぶことの大切さを訴えます。死を恐れないようにするためには、死のことを正しく知らなければならないからです。死は単に物理的な現象なのではなく、そこには哲学的な意味も込められています。

死とは何か？　その本質とは？　そうした問いをタブー視することなく、時には人と語り合うのもいいでしょう。幸い哲学者たちは、皆いかなるテーマもタブー視することなく論じてきました。

デーケンの場合は、生と死を同列に捉えていたので、死んだ後も生が続き、私たちは別の世界に生きるのだと信じていました。それも一つの考え方でしょう。死んだ後のことは誰にもわからないのですから、絶対的に正しい答えなどありません。そうなると、大事なのは自分がどの答えに納得するかです。

すべてが消滅してしまうと捉えたほうが合点がいき、かつ自分も気が楽だというなら、そう考えてもいいと思います。まるで人間が物理的な存在のように聞こえますが、その名も物理主義という立場は、そんなふうに死を捉えています。

ある日突然、自分や家族など近しい人たちが余命宣告を受けると、私たちはうろたえるものです。生しかなかった人生に、いきなり死が現れ、人生が「人生死」になるのですから。でも、本当は人生は最初から常に人生死だったのです。そのことに気づくきっかけがなかっただけのことです。

だからうろたえるのです。だとするならば、何もうろたえる必要はありません。死は当然のことなのです。仮に余命宣告を受けたとしても、冷静に死に方を考える。それこそが自分にとっても、周囲の人たちにとっても最も賢明な態度といえるでしょう。そうでないと、嘆き苦しみ、いたずらに時間だけが失われていく日々を過ごすことになります。

私たちは突然生を与えられ、気づけば生きているのです。そして、突然死を与えられ、死ななければならない。人生とはそんな不条理なものであり、人間とはそんな不合理な存在なのです。死ぬのに生きる。しかし、それは誰にとっても同じであって、その点では普通のことなのです。いや、人間だけではありません。あらゆる生き物がそうした運命にあるのですから、これは悲しむことでも、恨むことでもないのです。たしかに天寿を全うする人と、突然余命宣告を言い渡される人とでは運、不運があるように思えます。でも、それもまた自分ではどうすることもできない運命的なものなのです。私たちになんとかできるのは、せめて残された時間をどう生きるか決めることだけです。

だからデーケンは、良い死に方を選んだといいます。それは、周囲の人たちに愛と思いやりを伝えながら死んでいくというものです。そのためには、きちんと遺言を残す必要があるともいいます。それに対して、良くない死に方とは、自己中心的な死だと非難しています。死を過剰に恐れ、自分の死を受け入れず、ふさぎ込んでしまうような死に方のことです。

桜良は思いもよらない形で命を終えることになりますが、ただ、死を知ってからの日常は、良い死に向かうものだったといえるように思うのです。現に彼女は死を受け入れ、感謝の気持ちを「共病文庫」という日記に綴っています。そこには遺書も書かれていました。

デーケンは遺言のことを「最後のプレゼント」と表現しています。そう、自分が死ぬことですべてが消え去ってしまうわけではないのです。デーケンが最期まで周囲の人たちにかかわり続けたのも、それがもう最後だからではなく、死後もなお関係が続くと信じていたからです。

これもまた余命宣告を乗り越えるための発想であるように思えてなりません。死をすべての終わりだと思うからそれを恐れ、自分だけが損をしたような気になるわけですが、もしそうではないとすれば、自己中心的になっている場合ではないでしょう。良い関係を最後まで続ける必要があるのです。もしかしたら、その努力を怠らなかった人だけが、その先もみんなに会えるのかもしれません。

物語の中の桜良のように……。

第4章

カードゲームパターンでの不運を逆転する

持ち札は選べないが替えられる！
カードゲーム運を哲学する

カードゲームというのは、名前の通りカードを使ってするゲームのことです。トランプが典型でしょう。誰しも子どもの頃、お正月などに大人に交って大富豪やポーカーをやった記憶があるのではないでしょうか。

カードゲームの面白さは、カードを交換していくところにあるように思います。最初に配られたカードは選べなくても、それを自分の意志と能力、そして運を頼りに変えていけるのです。つまり、最初は運が悪かったとしても、自分でほかのものに変えるチャンスがあるということです。

そう、カードゲームの特徴は、選択肢が多様な点です。どう変えるか、選択肢がいろいろあるのです。たまたま悪いカードに当たったけれど、それを変えていけばなんとでもなる。その気軽さ、可能性が救いともいえるでしょう。この変えられるというカードの特徴を裏付けているのが、カードの裏面です。トランプでいえば、スペードやダイヤなどのマーク、あるいは数字が書いてあるのが表で、すべて同じ柄のデザインで統一されている面が裏です。

つまり、裏側はすべて同じなので、裏返すとどれも同じに見えます。そのせいで、良いカードと悪いカードの見分けがつかないわけです。でも、文字通り裏を返すと、その仕組みのおかげで違う種類のものと交換可能ということになります。

これは人生に起こる様々な出来事のメタファーであるようにも思えます。顔も経済的状況も性格さえも、同じ人間である限り、そんなに変わるものではないということです。エイリアンと人間なら変わってくるかもしれませんが。でも、エイリアンの人生と比較する人はいないでしょう。だから人間同士を比べてあっちのほうがいいと思っているレベルなら、なんとでもなるということです。あたかもカードを変えるかのごとく。

変えられることほど希望を与えてくれるものはほかにはありません。人間が物事に絶望するのは、もうそれに甘んじて生きていくよりほかないからです。でも、変えられるなら、なんら悩む必要はないのです。

しかも選択肢が二つしかなくて、どちらかしか選べないというのではありません。カードだということは、いくらでも選択肢があることを意味します。カードゲームでカードを交換するというのは、そんなに大変なことではありません。人生も同じです。実際、人生におけるある種の不運は、カードゲームのごとく簡単に、選択を変えることができるのです。

人生において、そんなカードゲームのようなパターンの不運は実はたくさんあります。本章で扱うのは、たとえば容姿、教育、家庭の経済的状況、名前、性格といった事柄です。これらはいずれも最初は自分では選ぶことができず与えられるものですが、その後変えるチャンスが与えられています。

アトラクションとは異なり、不運な状況を変えるためにより積極的に働きかけることができる点がポイントです。そこでは知力、体力、努力、そして何より運が求められます。運を変えるためにまた運が必要だというのはいったいどういうことか？　ここではカードゲームを思い浮かべてもらえばわかると思います。

カードゲームで良いカードに交換するためには、戦略や勇気はもとより、最終的には運が必要になります。同様に容姿を変えたり名前を変えたりすることで成功するかどうかは、結局運に委ねられているのです。

ただ、この場合の運は最初にカードを配られた時の運とは異なります。なぜなら、自分で選んだ運なのですから。つまり、それがうまくいくかどうかの責任は、自分にふりかかってくるのです。

もちろん、カードゲームがそうであるように、変えたことでより悪い状況に陥ることもありえます。いわばそれは賭け、つまりギャンブルなのです。そこが醍醐味といえば醍醐味なのですが、人生の出来事とは常にギャンブルに似たところがあるものです（図）。

それを踏まえたうえで、賭けてみる。それがこのカードゲームパターンの運の変え方です。さて、皆さんはどこまで人生という名のカードゲームで勝負できるか、ぜひお試しあれ！

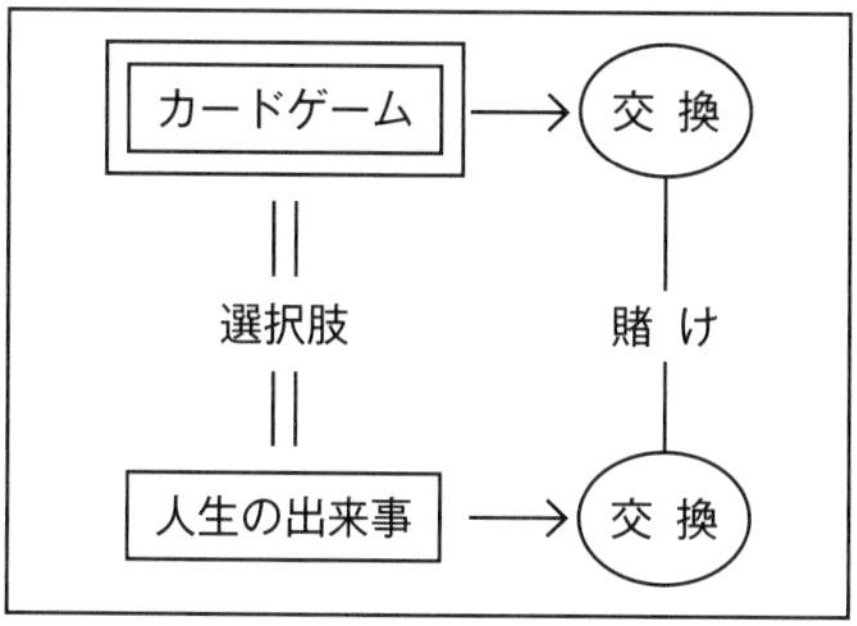

顔を変えたい──ロード×「最終フェイス」

容姿の基準など無化して輝く

昨今ルッキズムという言葉をよく耳にします。外見で人を差別することです。とりわけ顔は、ルッキズムの最大の対象といっていいでしょう。顔は人間にとって代名詞のような存在であって、その人を象徴するものだからです。

顔は昔から人を識別するために用いられてきましたし、今でも顔認証という言葉があるくらいですから。それは一人ひとり異なる個性を表現するものなのです。

それゆえに、顔が良ければ得をしますし、逆に良くなければ損をするのです。顔面偏差値などという嫌な表現もあるくらいです。そこまでいかなくても、イケメンや美人は何かと優遇される世の中であるのはたしかです。

もっとも、そんなに重要な人間の顔も、時代と共に変遷があり、絶対的に美しい顔だとかいい顔というものは存在しません。日本で平安時代に美人とされた顔は、今や平安美人という名称でからかいの対象ですらあります。また現代でさえ、国によって美の基準は異なるので、必ずしもユニバーサルな美人や男前は存在しないのです。

そんなことをいうと、ミス・ユニバースがあるではないかといわれそうですが、あれは顔だけで選んでいるわけではありません。というより、顔だけで選ぶのは不可能なのでしょう。したがって、たとえ今、美しいとはいえない顔に生まれていたとしても、何も落ち込む必要はありません。それはいずれ変わる可能性があるのです。

そもそも、美の基準などというものは単なる偏見であって、様々な問題をもたらします。そのことを明確に指摘したのが、アメリカの法倫理学者デボラ・L・ロードです。彼女は「美の偏見」という原題を持つ著書の中で、その偏見がもたらす問題について指摘しています。

容姿差別を禁止せよという主張は、三つの理由を基盤にしている。第一は、こうした差別は機会均等の原則に反するからだ。人は、意味のない身体的特徴ではなく実績と仕事ぶりにもとづいて評価されるべきだ。第二は、容姿に関連する偏見は集団への従属を強化し、性別、人種、民族、階級、年齢、性的指向にもとづく不利益を深刻化するからだ。第三は、容姿を基準に物事を判断すれば、ときとして自己表現や文化的アイデンティティを必要以上に制限することになるからだ。（『キレイならいいのか ビューティ・バイアス』亜紀書房、184頁）

つまりロードによると、容姿差別が問題なのは、第一に機会均等や個人の尊厳の原理に反するからです。顔がいいから採用するなどということになれば、そうでない人の機会を奪いますし、何より落とされた人たちの尊厳を傷つけることになるでしょう。第二に、人種や性別などに基づくほかの形の不平等を助長するという問題もあります。容姿、特に顔に関する不平等はそれが目立つものであるだけに、容姿差別が横行すると、ほかのことに関する差別が容易に認められるようになる心配があるわけです。そして第三に、個々人の自己表現の権利を侵害するという問題があるといいます。個人的にはこれが最も深刻であるように思います。容姿に良い悪いが存在すると、悪いと思われる表現ができなくなってしまいます。しかしそれは表現の自由の侵害にほかなりません。

したがって、そんな美の基準など気にせず生きるのが大事だということになります。

容姿の基準など無化してしまえばいいのです。先ほども確認したように、顔に普遍的な美や良さなど存在しないのですから。

その点で「最終フェイス」というギャグ漫画は、私たちの蒙をひらいてくれる画期的な作品だといえます。

主人公の一条かれんは、誰が見ても美しいと思う美貌を持つ女優一条麗子の娘です。それに対して娘のかれんは、誰から見ても美しいとはとてもいえない個性的な顔なのです。

ところが親の麗子は、そんなかれんの顔こそが、これからの時代の最先端を行く美しい顔だと言い切ります。そして娘もそう信じ切っているのです。

そのため、自分は美しいと信じるかれんは、その「美」の基準を周囲に押し付けようとします。自分は美しいのだから、それを認めよと。面白いのは、かれんのあまりの強引さに、思わず周囲の人間の美の基準が揺らいでいく点です。それにつられて、読者の私たちも考えさせられるのです。

だからもし自分の顔にコンプレックスがあって、かつ整形もしたくないということであれば、堂々としているのが一番なのです。自分は不細工だなどと卑下する必要はまったくありません。

人間には個性があるように、顔もまたその個性の一つだといえるのですから。ロードのいう通り、容姿に関して美の基準を統一しようとする態度のほうが多くの負の結果をもたらします。間違っているのは、人の顔をとやかくいう人たちのほうなのです。

したがって私たちに求められるのは、人の容姿に対して干渉しないという態度であるように思えてなりません。

ロード自身、個人ができることとして最後に書いているのですが、重要なのは他者に対する寛容だといいます。それは何もしないということではなく、不当な干渉に対し抗議する積極的な態度とセットであることはいうまでもありません。

学び直したい──プロティノス×「ReLIFE」
自分を磨くことで理想の自分に出逢う

当たり前のことですが、人生は一度しか選べません。だから後悔するのです。あの時あれを選んでおけばよかったとか、こうしておけばよかったとか。あたかもカードゲームのように。

だから私たちはついこんなことを思うのでしょう。「ああ、もう一度学校生活をやり直せたらなぁ」と。それは勉強をやり直したいという意味もあるのでしょうが、もっというと今という時間を大切に生きたかったということなのではないでしょうか。自分が本当にやりたいことを知るために。

考えてみれば、学校というのは自分がその後社会に出て何をしたいか、どう活躍したいかを知るために行くところです。進路を考える場所といってもいいでしょう。にもかかわらず、たいがい私たちは学校生活をいい加減に過ごしてしまい、とにかく行ける学校に進学し、その後は行ける会社に入るという道をたどりがちなのです。

そのせいで後悔するわけですが、もっとしっかりと学んでおけば、違う道を歩んでいたかもしれないのです。そう、学ぶということは決して知識を知るということではなく、自分を知るということなのではないでしょうか。

いったい自分は何に適しているのか、何をやりたいのか。

エジプトの哲学者プロティノスは、まさにそのことについて論じています。彼はこんなふうにいっています。

彫刻家は美しい作品に仕上げなければならない大理石を前にして、あるいは削り、あるいは滑らかにし、あるいは磨き、あるいは拭い、ついに大理石の中に美しい顔を浮き出させるに至る。これが彫刻家のとる道だが、君もそのように、余分な不必要な部分はすべて取り除き、曲がった部分は正すべきである。（『プロティノス「美について」』講談社学術文庫、87－88頁）

つまり、自分を彫刻に見立てて、常に磨け、ということです。もっともプロティノスにいわせると、自分を磨くというのは、自分の不要な部分を捨てることにほかなりません。磨くことで余分な部分をそぎ落としていくのです。

では、どうすれば自分の余分な部分がわかるのか？　それはこれまでしたことのないような体験をすることです。そうすることで、これまでやってきたことの間違いに気づき、無駄を知り、正しいことに気づくようになります。

彫刻でいうと、それによってより美しく、強靱なものに近づいていけるということです。彼はその究極の状態を「一者」と呼びます。いわば理想の自分のことです。

その状態に近づくために、新しい学びを彫刻のノミのように用い、必要なものを見分けていくのです。本当の自分はこんな性格で、本当は、自分はこれがやりたかったのだと。

会社を辞めてニートになった27歳の元会社員が、高校生活をやり直すことで本当の自分を発見する物語「ReLIFE」は、まさにそんな一者との出逢いを描いたかのような作品です。

主人公のさえないサラリーマン海崎は、人生をやり直せるとの誘いに乗り、高校生に戻って新しい生活を送ることになります。ReLIFEという実験の被験者という設定です。

その中で本当に自分がやりたかったことに気づいていくのです。27歳で人生につまずいた経験を持つ彼からすれば、18歳の高校生たちはまだまだ人生をわかっていません。その彼らの姿に自分を投影し、高校生を勇気づけると同時に自分自身をも顧みる日々を送ります。そうした熱い海崎の姿に惹かれる女子高生日代《ひしろ》も、実はReLIFEの被験者でした。彼女もまた二度目の高校生活を通じて、自分の人生を見つめ直します。そうして理想の自分に近づいていくのです。

この設定が面白いのは、二人が高校生に戻って人生をやり直すという点です。皆さんは、もし人生をやり直せるとしたら、いつの時代に戻りたいですか？　私もやはり高校生時代を選ぶと思います。そこでどんな生き方をし、どんな進路を選ぶかが、人生を大きく左右するからです。

高校生時代というのは、大人でもなく子どもでもなく、でも最後の多感な時期で、様々なことを学びます。そのプロセスを通じて自分を知っていくのです。

結局、海崎は元の人生に戻った後、高校の教師になります。人生に悩む高校生たちに、もっとアドバイスしたいと思うようになったからです。おせっかいな自分の性格が、教育に向いていると気づいたのでしょう。ReLIFE生活のおかげで。

サラリーマンだった私が、結局今教育者になっているのも、ReLIFE のおかげなのかもしれません。いや、もちろん私の場合は漫画の ReLIFE の被験者ではありません。でも、人生をやり直すために30歳を過ぎてから大学院に行き始めた点で似ています。まさに海崎と同じように、20代後半ニートになり、行き詰まって哲学に出逢いました。そうして学び直しを決意したわけです。最近は割とそういうことも増えていますが、25年前はまだ少なかったように思います。特に私の場合、ＭＢＡコースに行くとかそういう仕事に直結する学びではなく、哲学でしたから、かなりレアケースでした。

そのため市役所で働きながら、昼夜開講制の大学院に通うという選択しかありませんでした。修了するのに何年かかるかもわからなかったからです。それでも、働きながら大学生生活をやり直すのは、とても有意義で楽しい日々だったのを記憶しています。正確にいうと大学院生生活ですが、大学という場所で学ぶ際、そのへんはあまり大きな違いではありません。いわゆるキャンパスライフです。

若い人たちに交じって議論し、お酒を飲み、時に熱くなって口論をしたこともあります。サークル活動こそしなかったものの、授業の一環でいくつかのイベントのようなことに参加する機会も持ちました。そんな中で私なりに自分の理想としての「一者」に出逢ったのです。それが哲学者として活躍する姿でした。しかも、世の中を変える行動する哲学者です。今思えば、私は哲学者に向いていたのでしょう。子どもの頃から本が好きで、文章を書くのも得意でした。何より、常に人生の意味や社会のことを考えているような一風変わった子でした。あまり人にはいいませんでしたが。

だからもしその特性に気づき、最初からそちらの方向に進んでいれば、もっと早く哲学者になっていたかもしれません。

でも、誰もがそんなにスムーズに自分の特性とそれを伸ばすための学校を結び付け、その結果理想の職業に就けるわけではありません。

むしろほとんどの人は、自分の特性に気づくことなく、それとは無関係な仕事をするのだと思います。それはそれで人生だと思うのですが、もし少しでも違和感を覚え、変わるチャンスがあるなら、私はぜひ ReLIFE することをお勧めしたいと思います。学び直すのに遅いなどということは決してありません。そして学び直しは、きっと自分の一者に出逢うきっかけになるはずですから。

貧乏から脱したい――ルッツ×「団地ともお」
やれないことを考えず、むしろ無目的を楽しむ

日本社会には絶対的貧困のような、その日生きられるかどうかわからないほどの貧困はありません。でも、給食費が払えないといった家庭があるように、相対的貧困は存在します。したがって、相対的に裕福ではないという意味での貧乏な家庭に育った人や、大人になってもお金がなくて貧乏暮らしをせざるを得ない人がいるということになります。

何より解せないのは、世界でも５本の指に入る経済大国日本で、多くの人たちが団地などの集合住宅でつつましやかに生活している現状です。

あたかもそれを揶揄《やゆ》するかのようなアニメ作品が「団地ともお」です。

決して裕福とはいえない中流家庭の日常を、明るく笑い飛ばそうというのですから。

主人公の木下ともおは、マンモス団地「枝島団地」の29号棟に母と姉と一緒に暮らすごく普通の小学4年生です。父親は単身赴任で、時々登場します。そんなともおが、大した夢を抱くこともなく、ただ平凡な日常を楽しみながら生きる姿が描かれています。

そして私たちは、そこに普通であることの良さを見出そうとします。自分がどのような経済的環境に生まれるかは運次第ですし、またそこから抜け出すのは簡単ではありません。だから多くの人たちは、その与えられた経済的環境によってやれることや夢を制限されているのです。

では、そんな日常をどう乗り越えていけばいいのか。団地ともおのいわば無目的な生き方は、そのためのヒントを与えてくれているような気がしてなりません。そう、無目的であること。それは一つの生き方なのです。

アメリカで独自の思索を展開するトム・ルッツは、まさにそんな「無目的性」の勧めを説いています。一般的に私たちは、目的を設定し、それに向かって生きるのがいいと思い込んでいます。ところがルッツにいわせると、自由に生きるためには、むしろ目的など設定しないほうがいいのです。

目的がないということは、何かがないということを意味しません。それは「開かれている」とか「急いでいない」ということであって、豊かな状態だとさえ喝破します。

その本質をルッツは、次のように表現します。

無目的性は「多数の小さな自発的出撃を、未知へと」送り込もうとするものであり、だから私たちはカウチポテト族を「希望なし」(hopeless)、「役立たず」(useless)、「脳なし」(gormless) などと呼ぶことはあっても、「無目的」と呼ぶことはあまりない。この言葉は侮辱に使われることはない。(『無目的　行きあたりばったりの思想』青土社、41－42頁)

無目的であるということは、決して否定的なことではないのです。むしろ逆にたくさんの可能性があるということにほかなりません。だから無目的なほうがいいのです。

ただし、無目的性にも二種類あって、貧しい人間の無目的性はよくないといいます。それはただ怠惰なだけか、反対にがむしゃらに働いているだけの状態だからです。ルッツが比喩的に挙げているカウチポテト族のように。

そうではなくて、豊かな人間の無目的性を意識する必要があるのです。

つまり、あくまで特定の目的を持っていないだけであって、気の向くままに様々なことに目を向け、楽しく日々を生きている状態です。

ルッツ自身、無目的性を実践していて、自らを「のらくら者」と呼んでいます。時に無目的に、時に勤勉に生きる人のことです。その点ではともおも、のらくら者なのかもしれません。無目的に見えて、意外と頑張る時があるからです。


アニメでも、そんなシーンがちょっとした感動を誘ったりします。

たとえば、「父親」みたいになることを実践しようとして、日曜大工をしたり、裸でナイターを見たり、禁酒禁煙のノリでテレビを観るのを我慢しようとしたりと。その馬鹿げた行動がとても楽しそうで、感動的に映るから不思議です。

このように、目的を持てない状況を逆手にとって、無目的に自由に生きる、そうやって人生を楽しむという方法もあるということです。

もしかしたら真の豊かさとはそういう生き方なのかもしれません。経済的豊かさは、もはや心の豊かさをもたらしてはくれません。21世紀、成熟社会へと突入した日本においては、特にそれは共通認識になりつつあります。

ただ、だからといって、何が真の豊かさなのかということについては、まだコンセンサスが得られていないのです。中にはスローライフのように、所有しない生き方がいいとか、逆に一気に儲けて早くにリタイアするファイアといった人生がいいなどという人たちもいます。

でも選択肢の一つとして、無目的に生きるというのがあってもいいのではないでしょうか。それはお金持ちでも貧乏でもない、純粋に可能性に満ちた生き方です。その方がワクワクして生きられるように思うのです。

この希望のない時代に求められるのは、そんなワクワク感のはずです。ワクワクすることがこの時代の心の豊かさだといっても過言ではないような気がします。だとするならば、積極的な無目的は、十分生きがいになり得ますし、目的にさえなりうるでしょう。

語義矛盾のようですが、無目的という目的だって考えられるように思うのです。何をしてもいいなんて、すごく贅沢な生き方だと思いませんか？　そういえば、ともおもよく、「暇だ」とか、「何をしようか」とぼやいています。でも、なぜか幸せそうなのです。

私たちだって、休日特に予定がなくて、今日何をしようかなと考えることがありますよね。そんな時、実は少し幸せを感じているのです。

何かやることがあるというのは、制約でもありますから。たとえそれが嫌なことではなかったとしても。人生も同じです。特に決まってないのは、意外と幸せな人生なのです。

ぜひ無目的な日常を楽しんでみてはいかがでしょうか。

名前を変えたい――ローゼンツヴァイク×「君の名は。」

その名前の者として生きる

私たちには名前があります。それらの名前は、親や祖父母から与えられたという人が多いでしょう。

ただ、自分の名前が好きな人はいいですが、そうでない場合は、不運だといえます。自分で選んだわけではないにもかかわらず、自分を象徴するものとしてずっと付きまとうのですから。

いったい名前とは何なのか？　たとえばドイツの哲学者フランツ・ローゼンツヴァイクは、こんなふうに表現しています。

じっさいあの二人にとっては固有名こそが、〈あす〉が〈きょう〉に結び合わされるだろうということの、そして、〈きのう〉が、これまで離れ離れであった二人の人間のすべての〈きのう〉がじっさいにこの〈きょう〉にともに合流するだろうということの、ただ一つの保証なのである。（『健康な悟性と病的な悟性』作品社、31頁）

つまり名前とは今日と明日をつなぐ保証だというのです。他者の場合、昨日会った人が思い出せなくても、名刺等で名前を確認したらわかりますよね。あるいは自分の場合も、極端な話、今夜記憶喪失になったとしても、名前が変わらない限り、昨日の私と今日の私はつながっているわけです。

逆にいうと、名前がわからなくなってしまったら、昨日まで自分の頭の中にいた人が、急に消えてしまいます。誰か大事な人がいたような気がするのだけれども、その人の名前が思い出せないことによって、その人の存在が不確実なものになってしまう。

そんな状況を見事に描いているのが、アニメ「君の名は。」です。

夢の中で男子高校生の瀧《たき》と女子高生の三葉《みつは》の身体が入れ替わり、お互いの日常を経験すると同時に、恋に落ちていく物語です。しかしその日々は長くは続きません。

夢の中で出逢った人にもう一度会いたくても、名前を思い出すことすらできなくなってしまう。その時、相手はもうここにはいないのです。だから彼らは叫びます。「君の名前は？」と。

ローゼンツヴァイクはまた、〈いま〉と〈ここ〉によって初めて名前というものが規定されると論じています。

名前とは常に、今ここという意味での現在に存在するものだからです。それは名前を呼ばれた瞬間を思い起こせばわかるでしょう。人は皆、自分の名前を呼ばれて初めて、その名前と一致する自分がそこにいることを認識します。意識を失っている時がその典型です。

あるいは、たとえ姿が見えなくても、名前を呼べばそこに相手がいることがわかるのです。瀧と三葉が時間を超えて同じ場所で出逢えたように。あの「かたわれどき」に。そうして二人は、互いの名前を呼び合い、使命を確認します。

ローゼンツヴァイクにいわせると、名前というのは、「人間におのれ自身を超えるよう指示」してくるものなのです。そういえば、人を応援する時、名前を連呼することがありますが、あれは自分を乗り越えよと呼びかけているわけです。

名前負けなどといいますが、たいてい私たちはいい意味の名前を与えられていますから、その意味に負けないように生きることを、ほかでもない名前によって要求されているということなのでしょう。

余談ですが、「哲」という字の付く人は、割と哲学を意識し、哲学を学んだりすることが多いように思います。実際、哲学者の中には哲の字が付く人が結構います。これは決して偶然ではないのでしょう。そもそも哲という字は哲学にしか使いませんから、ほかの人より哲学に興味を持つ機会が多いはずです。

つまり、私たちは名前に運命を導かれている側面があるのです。とはいえ、もし仮に自分の名前が気に入らないような場合には、もちろん改名することも可能です。いわばそれは新しい自分の目標を設定することなのかもしれません。今度は自分自身の意志によって。


カトリックでは洗礼名の名付け親のことをゴッドファーザーと呼びます。もしかしたら、名前を与えてくれる人は神なのかもしれません。

ということは、自分で自分を名付けるということは、自分が神になることを意味するとも考えられないでしょうか。

自分で自分の運命の責任を持つ存在になるということです。なんとも重い感じがしますが、わざわざ名前を変えるわけですから、それだけ重い決断であるはずです。生き方の宣言といってもいいでしょう。自分はこれからこう生きるのだと。

大事なのは、名前を持つことです。そしてその名前を生きることだと思うのです。たとえどんな名前であったとしても、自分がその名前を認識し、その者として生きる。人間はそれだけで前に進むことができます。

その意味では、名前は道標であり、目標なのではないでしょうか。この道を進みたい、あの場所に行きたい、そういう思いを人は名前に込めて日々を生きるのだと思います。名前という言葉の語源ははっきりしていないようですが、「前」という字は敬称だといわれます。

でも、私には名前が前で、生き方がその後という意味であるように思えてなりません。そんな名前が人それぞれ違うのは、生き方が違ってくるからでしょう。まったく同じ人生を歩む人はいません。名前の数だけ人生があるのです。ニックネームであろうと、番号であろうと、それがその人を識別するものであり、自他共にそのことを認識していれば、それはやはり名前です。

同姓同名であっても、その名前を得た文脈が異なれば、それは違う名前だといっていいでしょう。そう、名前は文脈と常にセットなのです。どういう経緯でその名前になったのか、その名前と共にどう生きているのか、どうしたいのか。それらすべてが一緒になって初めて、名前は意味を持ちます。

したがって自分も含め誰かの名前がわからなくなるというのは、その人に関する情報の半分を失ってしまったようなものです。それはそれで大変なことですが、まだ半分残っています。それが文脈にほかなりません。

あの人とあんなことをした、こんな想い出がある。それが文脈です。それがきっかけとなって、名前を思い出すということもあるでしょう。

「君の名は。」でも、物語の最後で瀧は、「ずっと何かを誰かを探しているような気がする」といっていました。名前と共に失われてしまった記憶のかけらだけを頼りに、彼は探し求めていたのです。三葉という名前を。だからこそ二人は再び出逢えたのでしょう。

では、「君の名は？」という問いかけを自分に当てはめるとどうなるのか。

もしかしたらその時、私たちは自分探しをしているのかもしれません。もちろんそれは本当に自分の名前がわからなくなったのではなくて、自分の進むべき道がわからなくなったということを指すわけですが。その際、普通は進むべき道を探そうと躍起になります。

でも、名前を変えるという手もあるのです。きっとそれに気づいた人が名前を変えるのでしょう。

だから改名は決してネガティブな行為ではなく、自分の生きる道を自分で選ぶポジティブな行為だといえます。

皆さんは自分の名前、ちゃんとわかってますか？

性格をなんとかしたい――三木清×「ドラえもん」

演じることでなりたい自分を手に入れる

自分の性格で悩んでいる人は多いようです。気が小さいとか逆にパワハラ体質だとか、くよくよするとか、楽天的過ぎるとか。まぁ完璧な人はいませんから、皆何かしら自分の性格に悩まされていることと思います。

性格の多くは生まれ持ったものか、あるいは幼少期に形成されたものといえます。特に家庭環境や家族構成、周囲の友達などの影響が大きいでしょう。でも、だからといって変えられないわけではありません。

性格もまた、自分で変えるチャンスはあるのです。あたかもカードゲームのカードをチェンジするかのように。

私が子ども心に、「人って変われるんだ」とつくづく感じた事例があります。それは「ドラえもん」ののび太です。

これは多くの方が賛同してくださるのではないでしょうか。何しろのび太はダメな性格のデパートのようなキャラクターです。怠け者で、人に頼る、すぐ諦める……。いじめっ子のジャイアンからは、少しでも普通のことをすると「のび太のくせに生意気な」といわれてしまう始末です。そんな性格を直そうとして、未来からドラえもんがやってきました。

そして様々な経験や冒険を経て、のび太は成長していきます。それを決定づけたのは、なんといっても「さようなら、ドラえもん」のあの名場面でしょう。ジャイアンにいじめられると、すぐに泣いて諦めていたのび太。その彼が、やられてもやられても立ち上がるのです。しまいには、ジャイアンがねを上げてしまいます。

なぜならのび太は、未来に戻らなければならなくなったドラえもんを、安心させたかったのです。もう一人でも大丈夫と。

ここからもわかるように、人の性格というのは、本当は与えられるものではなく、獲得するものなのです。私たちは多くの選択肢の中から、なりたい自分を選びます。そうして唯一無二の存在になっていくのです。その点では個性と呼んだほうがいいかもしれません。

日本の哲学者三木清が、『人生論ノート』の中で、「個性について」というエッセイを書いています。そこで論じられているのは、個性とは人に合わせることではなく、無限の存在だということです。だから三木はこんなふうにいいます。


私は普遍的な類型や法則の標本もしくは伝達器として存在するのであるか。しからば私もまたいわねばならない、「私は法則のためにではなく例外のために作られたような人間の一人である」と。（『人生論ノート』新潮文庫、161頁）

人間は決して類型の中の一標本などではなく、一人ひとり例外的な存在だということです。だから人間に法則など当てはまらないのだと。生まれた時や幼少期は、この子はこういう子だとレッテルを貼られることが多いと思います。我が強いとか、気弱だとか、協調性がないといったように。

でも、それらは自分の意志で変えていけるのです。病気の場合もありますが、それでも改善することは可能です。そのためにも、まずは自分はどういう人間なのか知る必要があります。

では、どうすれば自分の個性がわかるのか？　三木によると、みんなを眺めていても答えは出ないといいます。そうではなくて、「働くこと」によって初めて見えてくるというのです。

ここで彼は音楽のたとえを出します。自分という存在が一つの音楽の中でどの音に当たるのかは、外から眺めて理解するのではなく、音楽そのものになって体験するよりほかないというのです。自分の人生の観客になるな、演じよということなのでしょう。

のび太もそうでした。平凡なぐうたら少年が、ドラえもんと出逢っていやがうえにも様々な出来事に巻き込まれていきます。そんな中でまさにこの物語の主人公として人生を演じ始めたのです。

その結果、夏休みの映画などでは、「のび太の○○」といったように、彼の名が冠された作品が封切られるようになりました。子どもたちは皆、のび太に自分を重ね、成長し、個性を発見していったのです。

ほかでもない私もまた、子どもの頃から「ドラえもん」の漫画を読み、アニメを見て、「あんなこといいな、できたらいいな」と夢を見ていました。もちろんその夢はドラえもんが繰り出す不思議な道具によって叶うわけですが、それを使うのはのび太自身です。だからのび太になったつもりで、疑似的に冒険し、時にジャイアンとケンカしていたのでしょう。どの世界にもジャイアンはいますから。

実生活でもそうです。様々なことにチャレンジするごとに、自分の得意不得意が可視化され、より個性を極めていったような気がします。のび太同様、おとなしかった私が、いつの間にかクラスの人気者になっていったのは、そうした個性の発見によるところが大きかったといえます。

人と違ったアイデアを出し、みんなを楽しませることを覚えた私は、いじめられていた小学校低学年の時とは打って変わって、アイデアを出すリーダーのようになっていったのです。考えてみると、大人になった今もそんな個性を生かして仕事をしているのかもしれません。

のび太に限らず、「ドラえもん」に登場するキャラクターは、皆そうやって自分の性格を変え、各々成長していったように思います。のび太をいじめていたスネ夫やジャイアンたちでさえ、のび太を認め、友情を認め、時に感動的な行動を取ります。とりわけ劇場版の冒険物語では、自己犠牲的な態度を取るのです。

ずる賢いスネ夫、エゴのかたまりのようなジャイアン。でも、いずれも「いいやつ」になれるのです。自分の意志で。彼らの個性には、そういう感動的な部分も織り込み済みであるような気がします。いや、だからこそ映画を観ている私たちは感動させられるのでしょう。

「あんなに嫌なやつが、こんなにいいことをするなんて！」と。これは私たちの人生においても多々起こることなのだと思います。性格は決して一定ではないのです。それは変わって当然のものなのでしょう。

「ドラえもん」は、そんなふうに人がいかに変われるかを描いた物語であるといっても過言ではありません。たしかにドラえもんは未来の道具を紹介し、それを使ってのび太たちの人生を変えてきました。でも、物語をよく見てみると、彼らは別に道具で変わっているわけではないのです。

その道具がきっかけで生じる出来事や、気持ちの変化こそが彼らを変えていくのです。その意味で、人間はもともと変わることができる種を持っているといえます。自分の性格に悩むすべての人に伝えたいのは、性格なんていくらでも変えられるということです。

性格のことをキャラクターなどといったりすることがありますが、まさに漫画やアニメのキャラクターのごとく、自分でなりたいキャラを設定して、それを演じることができるわけです。

演じるというと、本当は変わっていないかのように思うかもしれませんが、性格もいきなり変わるわけではありません。だから三木のいうように、最初は演じるよりほかないのです。でも演じ続けていれば、演技のはずの自分がそのうち本当の自分に変わっていくはずです。

これは私も経験があります。中学生の頃、尖っていた性格を丸くして、みんなと仲良くしようと決めたのです。もちろん最初は自分でも違和感がありましたし、周囲もすぐには私の変化を受け入れてくれませんでした。でも、ずっと続けていると、自分も本当に変わったような気がしてきました。そうすると不思議なことに、周囲もそんな変わった私を受け入れてくれるようになったのです。

簡単ではありませんが、自分さえ変わりたいという強い想いを持ち続ければ、必ず変われる日が来ます。その日を信じて、どうか新しい自分を追い求め続けてください。

第5章

花いちもんめパターンでの不運をはねのける

選ばれなくてもアピール次第で起死回生！花いちもんめ運を哲学する

花いちもんめをしたことはあるでしょうか？　二組に分かれ、歌を歌いながら互いの方向に歩いていって、メンバーを交換します。具体的には、好きな人を指名し、リーダーがじゃんけんで勝ったらそのメンバーを引き入れることができます。そうしてメンバーがいなくなったほうが負けというゲームです。

ただ単に好きな人を指名するという点で、選ばれる選ばれないの基準は相当あいまいです。いや、本当は誰もが薄々感じているのかもしれません。魅力も能力もない子がお荷物のように扱われ、最後まで残されるのだと。でも、この仕組みにおいては、基本的に黙って待つよりほかないのです。選ばれるほうに選択権はありませんから。なんとも酷で、かつ運に左右される仕組みだといえます。何しろ運だけではなく、自分の魅力が大きく影響する仕組みなのですから。運だけなら、まだそのせいにしていればよかったのです。ガチャガチャやカードゲームなら、「ああ、運が悪かった」といって、神様のせいにしていればよかったわけです。

でも、自分が選ばれるかどうかは、選ぶ相手が自分を見ている以上、もし選ばれなかったらそれは自分の責任になってしまいます。自分の外見、能力、いわゆるスペックに問題があったのです。こんなにショックなことはないでしょう。現実の社会でも、とりわけ恋愛や採用試験で、私たちはそれを嫌というほどリアルに感じさせられます。

ただ、ガチャガチャやカードゲームとは異なり、アピールする機会はあります。そこが本人の能力や努力と関係しているわけです。日頃から外見を磨いたり、社交的であることによって、選ばれる確率を上げることができるのです。その意味で、ほかの昔遊びに比べ、一番自分で運を乗り越えるチャンスがある状況ともいえます。

本章で扱うのは、恋愛、上司や先輩との関係、仲間との関係、評価、オーディションといったシチュエーションです。必ずしも二つのグループに分かれるわけではありませんが、いずれもメンバーを選ぶ行為といっていいでしょう。

選ばれる人はいったいどこが違うのか？　もちろん事柄や状況によって変わってくるのだと思いますが、一つ共通している要素があるとすれば、それは相手をよく見ているということだと思います。選ばれるということは、選ぶ人がいるわけです。したがって、その選ぶ相手をよく見る必要があると思うのです。そうでないと対策は立てられません。運を乗り越えたり、不運と格闘するというのは、文字通り闘いだといえます。

現に花いちもんめの遊びでも、二つの対抗するチームが、それぞれ「か〜ってうれしいはないちもんめ」、「まけ〜てくやしいはないちもんめ」と歌います。まさに勝負。だから、敵を知る必要があるのです。

子どもたちはそうやって戦いながら自分をアピールし、より強いほうに付く、より行きたいほうに付くという術を身に付けてきたのかもしれません。子どもなりの処世術です。先生に好かれる、異性に好かれる、いけてるグループに好かれる、反対に怖いやつらから目を付けられないようにする。そのすべてが、処世術の始まりなのです。そのためには、好かれるようにアピールし、嫌われないようにアピールする必要があるのです。

好むと好まざるとにかかわらず、私たちは人間社会の中で生きています。したがって、快適に生きていけるかどうか、得する人生を送れるかどうかは、いかにアピールできるかにかかっているのです。花いちもんめという酷な選抜システムは、その意味で人生のレッスンだったといっても過言ではありません（**図**）。

現代社会では、子どもも花いちもんめはもうそんなにやらなくなったかもしれませんが、オンラインゲームで似たような要素を体験しているといえるでしょう。いつの時代も子ども時代の経験が、大人になってからの生き方に影響しているような気がしてなりません。特にこういう酷な昔の遊びを思い出すたびに……。

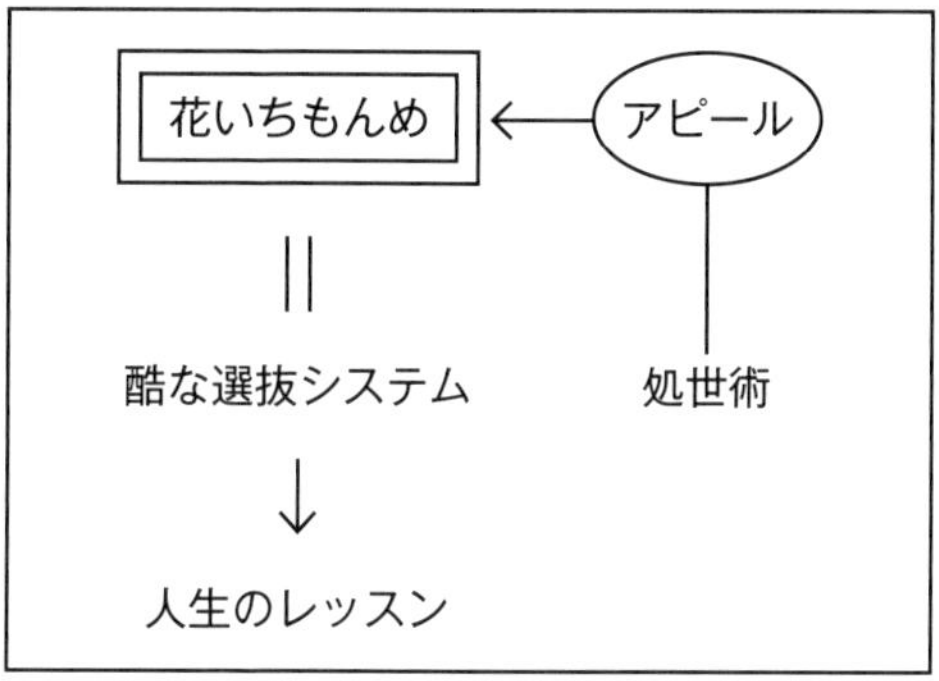

愛されない――フロム×「娚の一生」

バイタリティで愛せる人間に変わる

選ばれなかったり、チャンスがなかったりというのは、恋愛の世界も同じです。まったく縁がない場合もあるでしょうし、失恋する場合もあるでしょう。そうしてタイミングを逃し続け、生涯独身というケースも珍しくはないでしょう。とりわけ結婚はタイミングといいますから。

婚約者に裏切られた30代の女性つぐみと、過去を抱える50代の大学教授海江田が恋愛する漫画「娚《おとこ》の一生」は、まさにそんな男女の恋のタイミングを描いた作品だといえます。ちなみに海江田の専門は哲学。そう、彼は哲学者なのです。

ひょんなことから同じ家に住むことになった二人が、年の差を超えて恋愛をすることになるのですが、もちろん不利だったのは海江田です。30代の女性にとっておじさんである50代の海江田は、よほど魅力をアピールしないことには異性として認識してもらえません。

しかも彼は哲学の大学教授だけあって、相当の偏屈ものです。色男のようにふるまうことはできないのです。ただ、大人の男としての包容力だけはあります。そうしてつぐみの傷ついた心を癒すことで、見事彼女を振り向かせることができたのです。飄々《ひょうひょう》と生きているように見えて、結局海江田にはバイタリティがあったのだと思います。ご飯を作らせたり、デートに誘ったり、割とアピールしていましたから。極めつけは名場面にもなった足キスです。映画化された際に、海江田を演じた豊川悦司が恥ずかしかったと述懐したシーンでもあります。

そうやって猛アピールすることで、彼はつぐみの愛と信頼を勝ち得たのです。これはバイタリティ以外の何物でもありません。実は恋愛とバイタリティの関係については、ドイツの思想家フロムが、『愛するということ』の中でこんなふうに論じています。

人を愛するためには、精神を集中し、意識を覚醒させ、生命力を高めなければならない。そして、そのためには、生活の他の多くの面でも生産的かつ能動的でなければならない。愛以外の面で生産的でなかったら、愛においても生産的にはなれない。（『愛するということ　新訳版』紀伊國屋書店、191-192頁）

フロムもいっているように、人を愛するためには生命力、つまりバイタリティがいるわけです。そうでなければ、人なんて愛せません。そして面白いのは、そのバイタリティは愛以外のことについても求められるという点です。愛にだけバイタリティがあってほかのことにはなんの興味もないとか、その逆でほかのことにはバイタリティがあるのに愛にはまったく興味がないなどということは、普通はあり得ないのです。

これを生かすなら、いくら愛に恵まれなくても、自分のバイタリティを上げることで、愛をつかむことは可能だということです。バリバリ仕事をして、趣味にも力を入れて、人付き合いも積極的にやっていれば、自ずと恋愛できるということです。

とはいえ、相手があることなので、自分が人を愛せるようになっても、そううまくいくものではないと思う人もいるでしょう。でも、自分が積極的になれば、うまくいくチャンスも増えるのではないでしょうか？　本当はアタックすればうまくいく恋も、意外と私たちは自分の消極さゆえに逃してしまっているように思うのです。

それに、バイタリティがある人は魅力的ですから、きっと向こうからのアプローチも増えるはずです。ぜひそう信じてまずはバイタリティを上げてください。

もちろん愛に積極的になることで、ほかのことがうまく回り出すということもありますから、愛が先でもなんら問題ありません。現に失恋のせいで落ち込んでいたつぐみは、海江田から愛されることで自信を取り戻しました。そうして活動的になると、また人としての魅力も増すのでしょう。


とはいえ、具体的にどのようにすれば自分をアピールすることができるのでしょうか？　それはフロムが生産的な愛の特徴として挙げているいくつかの要素を見れば、わかると思います。

彼は配慮、尊重、責任、理解という４つの要素を挙げています。配慮とは、相手のことを積極的に気にかけることです。尊重とは、相手がその人らしく発展していくように気遣うことです。責任とは、相手の要求に応じられる用意があることです。そして理解とは、相手の立場に立ってその人を見ることができるということです。

いずれにも共通するのは、相手を思いやる心なのではないでしょうか。たしかに愛にはバイタリティが必要ですが、愛が双方向的な営みである以上、それは決して独りよがりであってはいけません。常に相手の存在を意識し、相手への配慮を欠かしてはいけないのです。

モテる人は配慮のできる人です。一般にはやさしいと形容されますが、それは必ずしも甘い言葉をかけることができるとかいった表面的なレベルの話ではなくて、もっと人間的な深いふるまいのことをいうわけです。

相手を配慮し、尊重し、責任を取れる。そんな真摯な姿勢が魂の全幅的な信頼ともいうべき愛へと結実していくのです。さらには、相手への理解が自分を変えることにつながってくるのです。フロムによると、この理解は自分自身を知るということをも包含するものです。

本気で相手を知ろうとする態度が、同時に自分自身を知ろうとする態度に呼応するのです。そうして人は愛を通じて自分を知ることになります。自分に何が足りなかったのか、どうすればもっと魅力的な自分になれるのか、自分はいったい何を求めているのか。その答えが出た時、私たちは前よりもっと魅力的になっているのでしょう。

逆説的ですが、愛のために自分の魅力をアピールしたければ、まずは真摯に誰かを愛することが必要なのです。だから失恋は、本当の愛を手にするために必要不可欠なプロセスなのかもしれません。

上司や先輩にかわいがられない――ホッファー×「新しい上司はど天然」
相手の心を変えようとせず自分の心を変える

仕事で一番つらいのは何か？

仕事がうまくいかないこと？　残業がつらいこと？

いや、私はなんといっても上司や先輩からのパワハラなのではないかと思います。

日本の社会は特に上下関係が厳しいので、上司や先輩が厳しいと、もうそれに従うしかなくなります。

そのせいで、会社に行くのが嫌になり、メンタルヘルスを損ない、挙げ句の果てには辞めてしまうことになるのです。

「新しい上司はど天然」は、まさにそんなパワハラ上司の犠牲になったトラウマを持つ20代の若手社員を描いた作品です。

前職で壮絶なパワハラを受けたトラウマを持つ桃瀬健太郎は、転職先の広告代理店での再起にかけます。でも、どうしてもトラウマから抜け出せず、不安になってしまうのです。そんな彼の指導を任されたのが、ど天然の性格を持つ上司白崎優清でした。しかも白崎はとても心優しい人物で、何かと百瀬を気遣ってくれます。ど天然ぶりを発揮しながら。その姿に感動し、桃瀬は白崎をかわいいとすら感じるという設定です。何しろ白崎は、初日に胃が痛くなった百瀬のために、慌てて生理痛の薬を買ってくるくらいですから。消防点検でベルが鳴った時には、火事と勘違いして彼をおんぶしようとさえします。その状況を見て、思わずほかの社員も苦笑する始末。


たしかに上司にはアタリハズレがつきものなので、はずれたら運が悪いとしかいいようがありません。基本的に人の性格など変えることは不可能ですから、人事異動を待つか、自分が転職するしかないわけです。ただ、自分は悪くないのに去らないといけないのは悔しいですよね。

その場合、考え方によってはこういう上司も、もっと適当にあしらうことは可能なのではないでしょうか。

私も経験がありますが、パワハラ上司は適当に受け流すのが一番だと思うのです。そうでないと、せっかく入った会社を辞めなければならなくなってしまいます。パワハラの話ではありませんが、アメリカの哲学者ホッファーはこんなことをいっています。

身を焦がす不平不満というものは、その原因が何であれ、結局、自分自身に対する不満である。自分の価値に一点の疑念もない場合や、個人としての自分を意識しないほど他者との一体感を強く抱いているとき、われわれは、何の苦もなく困難や屈辱に耐えることができる。これは、驚くべきことである。（『魂の錬金術　エリック・ホッファー全アフォリズム集』作品社、８頁）

パワハラ上司はあたかも部下の人間的価値が低いかのような態度を取ります。「お前はダメだ」とか「なんでできないんだ」といったように。

でも、決してそんなことはないはずです。これまでの人生、その部下だっていろんなことを成し遂げてきたはずです。

たまたまその仕事がうまくいかなかったり、その上司の気に入るようにできなかっただけだと思うのです。そもそも会社に就職できている時点で、みんな自信を持つべきでしょう。とするならば、そんなパワハラ上司のいっていることは単なる不合理な要求に過ぎず、気にする必要もないのです。

上司のほうが業務のことをよく知っていたり、うまくこなせるのは当然です。彼らのほうがキャリアが長いのですから。それだけのことです。にもかかわらず、困った上司ほどそれを自分の実力だと勘違いしてしまいます。

そしてキャリアの浅い部下と単純に比べて、自分はできる、あいつはできないというふうに決めてかかる。その発想自体不合理としかいいようがありません。

現に私の知る限り、多くの人がパワハラ上司から逃れた後は、きちんと仕事をしていますし、業績も上げています。

つまり、問題は自分のほうにではなく、その上司のほうにこそあるのです。とするならば、大事なのは自分を責めることではなく、むしろ自分に自信を持つことだと思うのです。

ホッファーもいうように、自分に価値があると思ったり、仲間がいると思えれば、きっとつらくないはずです。

いや、上司の態度が変わることはないでしょうが、「ああ、また吠えてるわ」くらいに思っておけばいいのです。

だって、動物が吠えていても気にさえしなければ、なんともないはずですから。ある意味でそれと同じレベルなのです。おかしな上司は、きっと常識が少し欠けているのでしょう。

まさに「じょうしき」のきの字が一字欠けると「じょうし」になります。不合理なことで責められたら、自分のほうが常識人だと思ってください。

実際、「新しい上司はど天然」の百瀬も十分優秀な社員でした。それは白崎のもとで働き始めて、すぐに企画書が通ったり、周囲から褒められている点からもわかると思います。パワハラ上司のもとで企画が通せなかったのは、明らかに本人のせいではないでしょう。


私はいつもいうのですが、他人を変えるのは至難の業です。でも、自分はいくらでも変えることができます。嫌な上司や先輩を変えるのではなく、自分が変わればいいのです。

ただ耐えているだけだとつけあがりますから、反抗的態度を取るとか、相談窓口に行くとか、いずれにしても自分の気持ちが変われば、行動も変わるでしょうから、何か変化が起きるはずです。そう、上司や先輩の心は変えられなくても、自分の心を変えることは可能なのです。

ホッファーはまた、弱者は服従の美徳のもとに自らの悪意を隠すともいっています。不合理と思いつつもただ黙って従うのは、面倒を避けたいなど、むしろ自分をごまかす生き方なのかもしれません。だから自分のためにも立ち上がったほうがいいのです。大丈夫、どんな立場であったとしても、私たちは決して無力ではありません。おかしいことは、必ずどこかにそれを正すきっかけがあるはずです。ぜひ自分が変わることで、その突破口を見つけてください。

陰キャで誘われない――ニーチェ×「弱キャラ友崎くん」
自分の基準で生きれば強くなれる

いつの頃からでしょうか。この世に人間に関する新たな区分が生まれてしまいました。少なくとも私が若い頃はなかった表現です。そう、皆さんもよく使うであろう陽キャと陰キャという二分法です。

これはもう読んで字のごとし、陽気で明るいキャラクターと、陰気で暗いキャラクターの二つを指しています。

そしてもちろん、陰キャの人たちは、みんなから誘われることもなく、不運な日常を送っているのです。

そんな選ばれない日常をどう変えればいいのか？　逆説的ではありますが、私はむしろ人に迎合しないほうがみんなから注目を浴びるように思えてなりません。

近代ドイツの哲学者ニーチェは、その意味での孤高の哲学を唱え、自らの思想を実践した人物として知られています。彼が周囲から一目置かれ続けたのは、やはりその孤高の態度にあったように思うのです。彼はこんなふうにいっています。

奴隷道徳の行動は根本的に反動である。貴族的評価様式においては事情はその逆である。それは自発的に行動し、成長する。（『道徳の系譜』岩波文庫、37頁）

ニーチェによると、物事の善し悪しを判断する際、二種類の評価基準が存在するといいます。

一つは貴族的評価様式です。これは善し悪しを自分で判断するものといっていいでしょう。自分で自分を善いと感じる自己肯定ができる人がそれに当たります。もう一つは僧職的評価様式です。この場合、善し悪しは他者の評価に委ねることになります。そういう人は、自分自身の正しさの基準を持ってはいません。

その場合、正しさは誰かが提示してくれるので、自分はあたかも奴隷のようにその正しさに従うだけです。ニーチェが奴隷道徳と表現するように。そしてその基準に満たない時は、ただ反感を抱くのです。どうせ自分にはできないとか、あんな基準はおかしいというふうに。これをルサンチマンといいます。恨み節のようなものです。でも、いくら恨み節を並べていても、成長することはあり得ません。

これに対して、貴族的評価様式はすべて自分で判断するので、うまくいかなかった場合も自分のせいにします。その結果、努力して克服していくのです。ただ難しいのは、この場合自分なりの正しさの基準が必要になるという点です。いったい何に基づいて基準を設定すればいいのか？

ここでニーチェが持ち出すのは「率直さ」です。しかもこの率直さは、自分の生から来ています。人間として感じる痛みや哀しみを率直に表現したものが、価値基準になるのです。いわば誰に媚びることもない、貴族的な高貴な価値評価です。

それを信じて、ただ立ち上がる。それこそが、自分を強くするために必要な要素だといっていいでしょう。

「弱キャラ友崎くん」の主人公友崎文也は、まさにそんなニーチェの哲学を実践した人物だといえるでしょう。

高校生の友崎は、ゲームは得意なものの、人生は「クソゲー」だと断言して陰キャとしての人生を決め込んでいました。ところがリア充の典型であり同じ学校のヒロインである日南葵が、友崎のゲームの実力に嫉妬し、彼をリアルの人生においても輝かせるためのプロジェクトを開始します。

こうして友崎は、人生というゲームを攻略するべく、リア充になることを目標に、一つひとつの課題に挑戦していくのです。たとえばそれは、人と会話するとか、異性と付き合うといったことなのですが、あたかもそれがゲームのように戦略とトレーニングによって克服されていくところに物語の面白さがあります。

しかもその過程において、友崎はニーチェさながらに自分がこれまでやってきたことを頼りにして、それを人生に当てはめていくのです。そうして人生が「クソゲー」ではなく「神ゲー」であることに気づいていきます。

奇しくもニーチェが「神は死んだ」と嘯《うそぶ》き、しかしいかなる困難も乗り超えていく超人という新たな神を生み出したように。

ニーチェは、彼の生きた19世紀のヨーロッパ社会が、いまだキリスト教の影響を強く受けており、そのせいで人々がキリスト教の道徳に頼り切っている現状を非難したのです。もっと主体的に生きよと。

そのために、頼るべき神は死んだと宣言したのです。そして自分のための新しい神を創造せよと訴えかけたのです。正確には、ニーチェは神を創造せよとまではいっていませんが、彼が生み出した超人思想は、新たな神にほかなりません。いわば自分だけの神です。

これは同じ神であっても、人それぞれ異なる善悪の基準を持った神である点で特異な存在だといえます。何よりこの神は、実体を持った存在ではなく、あくまで強く生きる自分自身のことを指しているわけですから、宗教の文脈で論じられる神とはまったく異なります。むしろ哲学だといっていいでしょう。

そう、ニーチェは宗教を否定し、哲学を称揚したともいえるのです。だからこそ世界を再び言祝《ことほ》ぐことができたのでしょう。

漫画に戻るなら、友崎もまた人生に新たな神を見出し、人生そのものをその神によって導かれるゲームとして定義し直したといえます。この世はすごい、面白いと。かくして弱キャラだった友崎は、超人キャラ、いや最強キャラとして再生するに至るのです。なぜなら、超人というのは、常に今の自分を超えていく存在だからです。ドイツ語の原語ではユーバーメンシュと表現されていますが、これは文字通り解釈するなら超えていく人という意味です。

常に困難や現状を超えていくとすれば、それは最強にならざるを得ません。ニーチェがまた別のところでいっているように、理想を達成した人間は、その理想を超えていくのですから。

理想は追い求めている以上は理想ですが、ひとたびそれを達成してしまうと、同時に新たな理想を設定したことになってしまいます。スポーツ選手の新記録と同じです。新たな記録を樹立するたび、次の理想が掲げられます。

超えるという現象は、そんなジレンマを抱え込むのです。超えたがために、超え続けなければならないというジレンマを。しかし、それを承知で変わろうとした人だけが、新たな人生を手にするのだと思います。

人生というゲームは、変わろうと思うすべての人に対して扉を開いてくれています。何しろ不確実であるということも含め、無限の可能性を秘めた世界ですから。まったく驚きですよね。もちろん、だからといって常に努力が報われるほど楽なものでもありません。でも、誰かにデザインされたゲームのように、変化に限界があるものでもないのです。その点で、人生はクソゲーでも神ゲーでもなく、純粋にすごい、いや「スゲー」といえます。

評価されない――トウェイン×「宇宙兄弟」
自分を信じてチャレンジし続ける

今の世の中はまさに評価時代といっても過言ではない状況です。なんでもレビューしますし、評価して成績をつけようとします。だからなかなか評価されない人は苦しむ羽目になるのです。本人は必死に頑張っているのに。

それもそのはず、評価には必ず評価する側の人間が存在します。そこには彼らなりの基準があって、それに基づいて人を評価しているのです。しかし、人間は皆それぞれ異なる存在ですから、そんな基準を全部満たしているはずがありません。そこにギャップが生まれるわけです。

では、いったいどうすればいいのか？　参考にしたいのは、アメリカの作家マーク・

トウェインの思想です。『トム・ソーヤーの冒険』で知られる作家ですが、彼のエッセイ『人間とは何か』は哲学的作品だといっていいでしょう。この中でトウェインは、次のように人間機械論を唱えています。

人間即機械―人間もまた非人格的な機関にすぎん。人間が何かってことは、すべてそのつくりと、そしてまた、遺伝性、生息地、交際関係等々、その上に齎《もたら》されるいわゆる外的力の結果なんだな。（『人間とは何か』岩波文庫、13頁）

人間は機械と同じで、自分の意志や努力ではどうすることもできず、外的諸力によって影響を受け、動かされている存在だというのです。もしシェイクスピアが無人島で生まれ育っていたとしたら、あの偉大な作品は生まれなかっただろうと。だから人間を評価しても仕方ないというわけです。

とはいえ、やはり同じ環境、条件であれば、生み出す成果に差が出た場合、生産性が高い方や優れた業績を上げたほうをより高く評価すべきようにも思います。

これに対してトウェインは、仮にネズミと学者であっても、原理、機能、過程という点ではどちらも同じであって、「そのものとしての優秀さ」を主張しうる資格はないといいます。

ましてや同じ人間なら、誰もが尊厳ある存在であり、かつトウェインのいうように外的な力によって結果に差がついているに過ぎません。それに対して優劣をつけること自体が間違っているように思えます。人間そのものとしての優劣はないのですから。

ところが残念なことに、私たちは人間を評価する時代に生きています。そしてその過程は、たいていギスギスしたものになりがちです。誰しも選ばれたいと必死になっていますから。

幼い兄弟がＵＦＯを見たのがきっかけで、共に宇宙飛行士を目指すという物語があります。「宇宙兄弟」です。

弟の南波日々人《なんばひびと》は優秀で、若くして一足先に宇宙飛行士になる夢を実現します。それに対して兄の六太《むった》は、思いやりはあるものの繊細で臆病な性格が災いしてか、夢破れて自動車会社で設計をしています。

ところが、ひょんなことから再び宇宙飛行士を目指すことになります。そうして必死に自分をアピールしようとするのです。そんな選考中のある日、候補者たちがいがみ合う出来事が起こります。その時六太は、みんなが憧れている宇宙の話をしようと切り出します。それがきっかけで、いがみ合っていた候補者たちの雰囲気が一気になごむのです。

ほかの候補者に比して、六太は決してずば抜けて優秀というわけではありませんでした。でも、こうした場面をずっと見ていた審査員たちは、六太を宇宙飛行士として採用することを決めます。

そう考えると、何かに選ばれるとか、評価されるというのは、必ずしも努力の結果とはいえないように思います。六太にはもともと選ばれるだけの素養があったのです。ただ、これまでは臆病でチャレンジしなかっただけのことです。

もしかしたら私たちも、評価されることを恐れて、逃しているチャンスがたくさんあるのではないでしょうか？　トウェインのいうように、人間は外的な力によって規定される機械に過ぎないとしたら、努力が足りないとか、実力が足りないなどとびくびくしていてもなんの意味もないことになります。

私たちに必要なのは、ただチャレンジすることのみなのです。

もちろん、枠が狭い場合はどうしても落ちる人が出てきますから、運も影響するでしょう。でも、自分が本当にそれに向いているなら、いつかは選ばれるはずです。そうでないなら、それはもともと向いていないということなのです。

だからといって努力を否定するつもりはありませんし、努力が才能を超えることも多々あるでしょう。ただ私がいいたいのはその逆で、努力不足だからといって尻込みする必要はないということです。評価されないのは、あなたのせいではないのですから。ぜひそう信じて、チャレンジし続けることで運をつかみ取ってくださいね。

私も宇宙飛行士ほどではないですが、ずっとチャレンジし続けることでようやく運をつかみ取った経験があります。それは本を出すことです。哲学者になって、本を出すのが私の夢でした。もともと哲学の入門書や自己啓発書に救われて人生を立て直すことができたので、私も自分と同じように悩んでいる人たちのために、そんな本を書きたかったのです。

今でこそたくさんの本を出している私ですが、最初の一冊を出すのは至難の業でした。当時からすでに人々の活字離れが進んでおり、出版不況がささやかれていたからです。ただでさえ、普通の人が本を出すのは難しいのに、そんな環境の中でどうやって私が本を出せるのか。

もちろん自費出版ということも考えましたが、当時はそんなお金もなく、何より全国の書店に自分の本が並ぶ状況が目標だったので、どうしても正式に出版したかったのです。

そこで私が選んだのは、出版社に持ち込むという手段でした。小説や評論ではないので、出版につながるようなコンテストがあるわけではありません。そうするともう、実際に編集者に見てもらい、正しく評価してもらうよりほかなかったのです。もちろん内容には自信がありました。

でもそれは宝くじに当たるのを願うような無謀な試みでした。出版関係に勤めていた知人からは、原稿を送ってもそのままゴミ箱に入れられることもあると聞いていたので、とにかく返事がなくても、いろいろなところに送り続けたのです。

すると、ある出版社から連絡がきたのです。たまたま原稿を読んだが、あなたに逢ってみたいと。こうして私の作家としてのキャリアがスタートしたのです。本を出すという私の夢が叶ったのは、自分に実力があったからでも、運が良かったからでもありません。自分を信じてチャレンジし続けたからです。だから今も、評価を恐れることなく、常に新しいことにチャレンジし続けることができるのだと思います。

オーディションで選ばれない
―アドラー×「オッサン（36）がアイドルになる話」
勇気を出してみんなで乗り切る

何かに挑戦したいけど、どうせ自分には無理だとか、選ばれないと思って諦めていることはありませんか？

たしかに求められる条件に関して、自分が不利な状況にある時、挑戦する前からネガティブになりがちです。自分は運が悪いと。

でも、世の中のコンテストやオーディションなどでは、意外と本命の人ではなく、いわゆるダークホースのような人が選ばれることがあるものです。それには様々な理由があるのでしょうが、やはりなんといっても本人の意欲と努力が大きいといえます。

条件的に不利かどうかは、自分が決めることではないのです。それは選ぶ側の課題であって、自分がやるべきなのは夢に向かって努力し、挑戦することだけなのではないでしょうか。

オーストリア出身の心理学者で哲学者といってもいいアルフレッド・アドラーは、それを課題の分離と呼んでいます。そしてこういってのけます。

もし本当に生まれながらの性格があるのなら、または成功できるかどうかは生まれつきの能力で決まっているのなら、心理学者にできる仕事は何もない。しかし実際は、成功できるかどうかは勇気で決まるのであり、心理学者の仕事は絶望を希望に変えることだ。（『生きるために大切なこと』方丈社、194-195頁）

そう、勇気さえあれば私たちは身体はおろか、性格や能力まで変えることができるのです。

心理学者や哲学者は、それを後押しするための仕事をしているのでしょう。まさにこの本で私がやっているように。あるいは、周囲にいる誰かが後押ししてくれることによって、変わることができます。

だから自分は自分の課題だけに目を向けて、努力し続ければいいのです。そうすれば、中年のおじさんさえアイドルになることができるのです。

漫画「オッサン(36)がアイドルになる話」は、まさにそんなおじさんたちを描いたコミカルで感動を誘う作品です。

太っていることが理由で健康食品販売会社をリストラされた主人公のミロク36歳は、ジムで体を絞り、10年間の引きこもり生活から脱します。瘦せてかっこよくなったおかげで、人生が好転していくのです。そしてひょんなことから、ジムのトレーニング仲間であるヨイチ41歳とその友人で元ダンサーのシジュ40歳と共にダンスの発表会に出ることになります。その結果、なんと大物プロデューサーの目に留まり、アイドルユニット「３４４（ミヨシ）」としてデビューするのです。

ミロクは太っていたこと、そして引きこもっていたことから、何事も自分には無理だと思い続けていました。ましてやアイドルになるなどとは夢にも思っていませんでした。でも、もともと歌が好きで、顔も悪くなかったのです。彼に必要だったのは、無理だと思うことではなく、自分がすべきことをやることだけでした。

おそらく彼の場合、太っているとかリストラされたという劣等感が邪魔をしていたのだと思います。そのせいで課題の分離ができなかったのでしょう。でも、だからといって劣等感を取り除けばそれでいいわけではありません。

なぜなら、アドラーにいわせると、この世には悪い劣等感と良い劣等感があるからです。悪い劣等感は、いわば人と比べて自分はダメだと思ってしまうタイプのものです。一般には劣等感というとこの状態を思い浮かべることでしょう。

それに対して、自分の理想のために今の自分を直視した結果感じるのが良い劣等感です。同じように自分には足りていないものがあると思うわけですが、こちらのほうは圧倒的に前向きです。したがって良い劣等感まで取り除いてしまわないように注意しなければなりません。

逆にいうと、誰だって伸びしろがあって、その伸びしろを伸ばそうとした人だけが選ばれるのです。コンテストでもオーディションでも。これは仕事にも当てはまります。抜擢されるためには、良い劣等感を抱き、努力し続けることが大事なのです。

とはいえ、それは簡単ではありません。人間、よほどモチベーションが強くない限り、そんなに努力し続けることができるものではないでしょう。アドラーにいわせると、そこで鍵を握るのが共同体感覚なのです。いわば他者と共に頑張っているという感覚が、自分を勇気づけるのです。

ミロクの場合もそうです。ヨイチやシジュと共に頑張っていたからこそ、困難を乗り越え目標を達成できたのだと思います。別にチームを組まなくても、自分を支えてくれている人たちのことを思うだけでもいいでしょう。スポーツがわかりやすいと思いますが、選手は皆、支えてくれているすべての人、応援してくれているすべての人に感謝し、力を発揮しています。いや、そう思えた選手だけが頑張り切ることができるのではないでしょうか。

仕事も人生も同じです。共同体感覚を持って頑張る人だけが不利な状況をはねのけ、不運を幸運に転換することができるのです。たまたまミロクはグループで活躍することによって注目を浴びたのですが、これは決して偶然ではないように思います。狭い意味でのチームメートやメンバーだけでなく、応援してくれている人も含め、誰かと一緒にやっている、誰かに支えられてやっているという思いを持つ人は、それがにじみ出るものです。

魅力ある人というのは、感謝を忘れない人だと思うのです。どんなオーディションでも、人を選ぶ時に外見だけで判断することはないでしょう。それは外見を重視するミスコンなどでさえそうです。人柄抜きの外見など、なんの意味もありません。いや、むしろ有害でさえあるといえます。

あたかもそれは、人間をモノのように扱う態度にほかならないからです。モノには意志も感情もありません。あるのは表面的な要素だけです。だから人間に関しては、必ず心や人柄を重視する必要があるのです。

アドラーのいう共同体感覚を持つ人は、きっと人柄もいいと思います。自己中心的ではなく、皆で乗り切ろうとしているはずですから。もしかしたら、オッサンアイドルが魅力的なのは、彼らの人生経験から、共同体感覚が透けて見えるからかもしれません。

運悪く選ばれなかった人は、ぜひそんな共同体感覚を意識的に活用して再チャレンジしてみてください。もしかしたら、意外なチャンスが開けてくるかもしれません。あのオッサンたちのように。

【主な引用・参考文献】

・九鬼周造『偶然性の問題』岩波文庫、2012年
・カミュ『カミュ全集6 反抗的人間』佐藤朔、白井浩司訳、新潮社、1973年
・マイケル・サンデル『実力も運のうち 能力主義は正義か?』鬼澤忍訳、早川書房、2021年
・M・メルロ＝ポンティ『見えるものと見えないもの 付・研究ノート』滝浦静雄、木田元訳、みすず書房、1989年
・アラン『アラン 幸福論』神谷幹夫訳、岩波文庫、1998年
・J－P・サルトル『実存主義とは何か』伊吹武彦、海老坂武他訳、人文書院、1996年
・ショーペンハウアー『幸福について──人生論』橋本文夫訳、新潮文庫、1958年
・荘子『荘子 全現代語訳（上）』池田知久訳、講談社学術文庫、2017年
・エドガール・モラン『百歳の哲学者が語る人生のこと』澤田直訳、河出書房新社、2022年
・カトリーヌ・マラブー『ヘーゲルの未来──可塑性・時間性・弁証法』西山雄二訳、未來社、2005年
・ジェレミー・ベンサム『道徳および立法の諸原理序説 上』中山元訳、ちくま学術文庫、2022年
・ミシェル・フーコー『性の歴史Ⅱ 快楽の活用』田村俶訳、新潮社、1986年

・シモーヌ・ヴェイユ『重力と恩寵』冨原眞弓訳、岩波文庫、2017年
・トリスタン・ガルシア『激しい生——近代の強迫観念』栗脇永翔訳、人文書院、2021年
・アルフォンス・デーケン『よりよき死のために——死への準備教育』星野和子聞き書き、ダイヤモンド社、2018年
・デボラ・L・ロード『キレイならいいのか ビューティ・バイアス』栗原泉訳、亜紀書房、2012年
・プロティノス『プロティノス「美について」』斎藤忍随、左近司祥子訳、講談社学術文庫、2009年
・トム・ルッツ『無目的 行きあたりばったりの思想』田畑暁生訳、青土社、2023年
・フランツ・ローゼンツヴァイク『健康な悟性と病的な悟性』村岡晋一訳、作品社、2011年
・三木清『人生論ノート』新潮文庫、1954年
・エーリッヒ・フロム『愛するということ 新訳版』鈴木晶訳、紀伊国屋書店、1991年
・エリック・ホッファー『魂の錬金術 エリック・ホッファー全アフォリズム集』中本義彦訳、作品社、2003年
・ニーチェ『道徳の系譜』木場深定訳、岩波文庫、1940年
・マーク・トウェイン『人間とは何か』中野好夫訳、岩波文庫、1973年
・アルフレッド・アドラー『生きるために大切なこと』桜田直美訳、方丈社、2016年

おわりに——結局、運とは何なのか？

運を表す言葉は、遠い昔から存在します。たとえば古代ギリシアにはテュケーという言葉があって、運や偶然を意味するものとして使われていました。そう、本文を読んでいただいた方にはおわかりかもしれませんが、運と偶然にはかなり緊密な結びつきがあるといえます。

人間はコントロールすることができない偶然性に支配されているからこそ、時に思いもよらない良いことに直面し、時に思いもよらない悪いことに直面するのです。そのいずれに当たるかが、運なのです。

ただ、何もかもが運というわけではありません。もしそうだとすると人は無責任になってしまうでしょう。だからどこまでが運で、どこからがそうでないのかを明確にする必要があります。

逆にいうと、運が作用する領域においては、人間には責任はないので、誰を責めてもいけないのです。もちろん自分も含め。私たちがやるべきなのは、そのどうしようもないものをいかに受け止め、乗り越えていくかだけです。

その意味で、運とは前向きに生きるためのモチベーションともいえるでしょう。日本語の運は「運ぶ」とも読みます。運は、人生を前に運ぶための原動力なのかもしれません。

さて、本書を世に出すに当たっては、多くの方々に大変お世話になりました。とりわけ執筆の機会を与えてくださり、構想の段階から完成に至るまで粘り強く支えてくださったビジネス社の近藤碧さんに、この場をお借りしてお礼を申し上げたいと思います。

最後に、本書をお読みいただいたすべての方に改めて感謝を申し上げます。

２０２４年５月吉日

小川仁志

【著者略歴】
小川仁志（おがわ・ひとし）
1970年、京都府生まれ。哲学者。山口大学国際総合科学部教授。京都大学法学部卒、名古屋市立大学大学院博士後期課程修了。博士（人間文化）。商社マン、フリーター、公務員を経た異色の経歴。米プリンストン大学客員研究員等を経て現職。専門は公共哲学。NHK Eテレ「ロッチと子羊」などで指南役を務めた。『不条理を乗り越える』（平凡社）、『前向きに、あきらめる。』（集英社クリエイティブ）、『「当たり前」を疑う100の方法』（幻冬舎）他、著書多数。YouTube「小川仁志の哲学チャンネル」でも発信中。

運を哲学する
不運がチャンスに変わる逆転思考

2024年7月1日　第1刷発行

著　者　小川仁志
発行者　唐津　隆
発行所　株式会社ビジネス社
〒162-0805　東京都新宿区矢来町114番地　神楽坂高橋ビル5F
電話　03-5227-1602　FAX 03-5227-1603
URL　https://www.business-sha.co.jp/

〈カバーデザイン〉大谷昌稔
〈本文DTP〉マジカル・アイランド
〈印刷・製本〉モリモト印刷株式会社
〈編集担当〉近藤　碧　〈営業担当〉山口健志

ISBN978-4-8284-2589-4